세종 한국어

더하기 활동

2A

발간사

최근 전 세계인이 접하는 한류 콘텐츠의 규모가 늘어나면서 한류 문화가 확산되고 있고, 그 결과로 한국어를 배우고자 하는 외국인 학습자의 기세가 매우 놀랍습니다. 세계 곳곳이 코로나19로 침체기를 겪던 2021년에도 한국어능력시험 응시자는 30만 명을 훌쩍 넘었으며, 문화체육관광부의 세종학당은 2007년 13곳에서 2022년에는 84개국 244개소로 증가하였습니다. 이러한 한류의 지속적인 확산을 뒷받침하기 위해서는 한국어교육의 탄탄한 지원이 필요합니다.

한류 콘텐츠와 함께 성장하는 한국어교육의 토대를 다지기 위해, 문화체육관광부와 국립국어원은 2011년 처음 발간된 《세종한국어》를 새로 다듬기로 하였습니다. 2019년부터 기초 연구를 시작한 교재 개정 작업은 3년의 시간을 들여, 2022년 드디어 새로운 《세종한국어》를 펴내게 되었고, 이를 세종학당재단과 함께 알리게 되었습니다.

새롭게 개정된 《세종한국어》는 첫째, 세종학당 곳곳에서 한국어를 배우고자 하는 열의로 가득 찬 외국인 학습자 중심의 교재를 지향하였습니다. 둘째, 현지 세종학당의 학습 환경에 따라 유연하게 활용할 수 있는 맞춤형 교재로 정비되었습니다. 셋째, 한류 콘텐츠에 대한 외국인들의 관심을 내용에 반영함으로써, 한국어 공부에 대한 학습자의 부담을 낮췄습니다. 마지막으로 세종학당을 대표하는 표준 교재로서 구심점 역할을 담당하고, 이후의 한국어 학습을 위한 연계성도 잘 갖추었습니다.

세종학당은 한국어와 한국 문화로 한국과 세계를 연결하는 대한민국 대표의 국외 한국어교육 기관입니다. 국립국어원과 문화체육관광부는 앞으로도 세종학당재단과 협력하여 전 세계에서 한국어를 사랑하는 이들이 꿈을 이룰 수 있도록 지속적인 노력과 지원을 아끼지 않겠습니다.

끝으로 교재 개발을 위해 최선의 노력을 기울여 주신 연구·집필진과 출판사 관계자분들께 진심으로 감사의 말씀을 드립니다. 《세종한국어》의 새로운 출발과 함께 문화체육관광부와 국립국어원, 세종학당재단이 세계로 더 나아갈 수 있도록 여러분의 따뜻한 관심 부탁드립니다.

2022년 8월

국립국어원장 장소원

머리말

세종학당은 한국과 전 세계를 연결하는 한국어·한국 문화 보급 기관입니다. 이번에 개발한 교재는 상호 문화주의에 기반하여 한국어 학습에 대한 학습자의 흥미를 증진함으로써 한국어 의사소통 능력을 향상시키는 것을 목표로 하였습니다. 이를 위해 최근 한국의 상황을 적극적으로 반영하였고 최신 교수법을 구현할 수 있는 새로운 구성과 디자인을 적용하였습니다. 이를 통해 국외 한국어교육의 방향성을 새롭게 제시하고자 하였습니다. 개정 《세종한국어》의 구체적 특징은 다음과 같습니다.

첫째, 세종학당의 표준 교육과정인 가형, 나형, 다형 전 과정에 탄력적으로 활용할 수 있도록 '기본 교재'와 '더하기 활동 교재'로 구분하였습니다. '기본 교재'에는 해당 등급에 필요한 핵심적인 내용을 담았으며, '더하기 활동 교재'에는 심화·확장이 필요한 언어 지식과 의사소통 활동을 담았습니다. 이를 통해 다양한 학습자 특성에 맞게 교재를 선택하여 사용할 수 있도록 하였습니다.

둘째, 효과적 교수·학습을 위해 단계별로 단원 구성을 차별화하였으며 학습 내용 또한 언어 발달 단계에 맞는 교수 학습 내용과 절차를 적용하였습니다. 특히 다양한 삽화와 시각적 자료를 적극적으로 제시하여 한국어 학습의 흥미를 극대화할 수 있도록 노력하였습니다.

셋째, 교재 전반에 생생한 한국 문화 내용을 배치하여 학습자들이 상호 문화적 관점에서 한국 문화를 이해하고, 궁극적으로는 자국의 문화와 한국 문화에 대한 바른 태도를 형성할 수 있도록 하였습니다.

넷째, 교재와 함께 '익힘책', '교사용 지도서', '어휘·표현과 문법', 수업용 PPT와 같은 보조 자료들을 개발하여 교사·학습자의 요구에 맞게 교재를 활용할 수 있도록 하였습니다.

이 교재를 기획하고 개발하는 모든 과정에 함께해 주신 국립국어원과 현지 학당과의 협조와 지원을 아끼지 않으신 세종학당재단, 그리고 학습자들이 재미있게 한국어를 배울 수 있도록 멋지게 디자인해 주신 공앤박출판사에 감사의 마음을 전하고 싶습니다. 끝으로 3년이라는 긴 시간 동안 오로지 한국어교육에 대한 열정으로 좋은 교재를 만들어 내기 위해 애써 주신 모든 집필진께 말로는 다할 수 없는 깊은 감사의 마음을 전합니다.

2022년 8월

저자 대표 이정희

차례

직업

1. 하는 일이 무슨 직업인지 다음과 같이 말해 보세요.

저는 중국어를 가르쳐요. 교사예요.

1) 저는 빵집에서 빵을 구워요. ....

2)  저는 다른 사람의 머리를 잘라요. ....

3)  저는 대학교에서 경영학을 공부해요. ....

4)  저는 컴퓨터 회사에서 프로그램을 만들어요. ....

2. 한국어로 알고 싶은 직업이 있어요? 한국어로 더 알고 싶은 직업의 이름과 그 일이 무슨 일을 하는지 사전이나 인터넷에서 찾아 써 보세요.

직업	하는 일
바리스타	커피를 만들어요.

3. 여러분은 어떤 직업이 좋아요? 언제부터 그 일을 하고 싶었어요? 친구들과 이야기해 보세요.

질문	나	친구
어떤 직업이 좋아요?		
언제부터 그 일을 하고 싶었어요?		

새 어휘 | 중국어/바리스타

(이)라고 하다 | -는

1. 여러분이 아는 한국어 단어를 행동이나 그림으로 보여 주면서 다음과 같이 말해 보세요.

이건 한국어로 사랑이라고 해요.

이건 한국어로 반지라고 해요.

1)		
2)		
3)		
4)		

2. 그림을 보고 사람들이 무엇을 하고 있는지 써 보세요.

1)	책을 읽는 사람은 유진이에요.
2)	
3)	
4)	
5)	
6)	

새 어휘 | 반지

하는 일

1. 사람들이 무슨 일을 하고 있는지 이야기해요. 다음을 잘 듣고 맞는 것을 연결해 보세요.

01

1) • 2) • 3) • 4) •

2. 잘 듣고 쓰세요.

02

1) 안녕하세요? .... ?

2) ....

3) .... ?

4) ....

5) ....

위에서 들은 문장을 대화 순서대로 써 보세요. 대화를 다시 들으면서 맞는지 확인해 보세요.

03

1)				5)

3. 여러분은 이름이 뭐예요? 무슨 일을 해요? 다음과 같이 자신을 소개해 보세요.

안녕하세요? 저는 이수지라고 해요. 수지라고 부르세요. 저는 유학생이에요. 대학교에서 경영학을 전공하는 학생이에요. 만나서 반갑습니다.

새 어휘 | 전공/글/홈페이지/올리다/전자 회사/부르다

나의 소개

1. 나를 소개하는 글을 쓰려고 해요. 아래 내용을 간단하게 메모해 보세요.

이 글은 왜 써요?	나를 소개하고 싶어요.
이 글은 누가 읽어요?	우리 반 친구, 한국어 선생님이 읽어요.
무엇을 소개하면 좋아요?	나의 직업(하는 일), 한국어를 배우는 이유, 내가 좋아하는 음식, 내가 좋아하는 노래, 내가 잘하는 것….
한국어로 모르는 단어는 뭐예요?	

2. 안나가 반 친구들에게 자신을 소개하는 글을 썼어요. 다음 글을 읽고 질문에 답하세요.

안녕하세요?
저는 안나라고 해요.
저는 대학생이에요. 대학에서 경영학을 전공하고 있어요. 제가 좋아하는 한국 음식은 떡볶이예요. 제가 좋아하는 한국 노래는 〈사랑〉이에요.
저는 작년부터 한국어를 배웠어요. 저는 한국 배우를 좋아해서 한국어를 배워요. 제가 좋아하는 배우는 이민우예요. 그 배우와 한국어로 이야기하고 싶어요. 그래서 한국어를 열심히 공부하고 있어요.
저는 이번 방학에 한국에 갈 거예요. 그래서 더 열심히 한국어를 공부할 거예요.
감사합니다.

1) 누가 썼어요?
안나가 썼어요 ______.

2) 안나는 무슨 일을 해요?
______.

3) 안나가 좋아하는 음식은 뭐예요?
______.

4) 안나는 한국어를 왜 배워요?
______.

5) 안나가 좋아하는 배우는 누구예요?
______.

6) 안나는 이번 방학에 어디에 갈 거예요?
______.

7) 마지막에는 무슨 말을 썼어요?
"감사합니다"라고 썼어요 ______.

새 어휘 | 단어/배우/마지막

여가 활동

1. 주말이나 휴일에 어떤 일을 해요? 카드에 있는 그림을 보고 말해 보세요. 활동 카드 73쪽

1) 3~4명이 한 팀을 만드세요. 그리고 선생님께 그림 카드를 받으세요.

2) 그림 카드를 가운데 놓고 한 장을 뒤집으세요.

3) 무엇을 하고 있어요? 한국어로 어떻게 말해요? 이야기해 보세요.

주말에 음악을 들어요.

4) ① 잘 말했어요? 그럼 그 카드를 가지세요.
② 틀렸어요? 그럼 다음 사람이 이야기해 보세요.

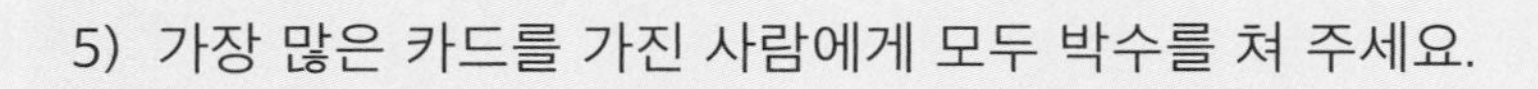
5) 가장 많은 카드를 가진 사람에게 모두 박수를 쳐 주세요.

2. 다음 휴일에 하고 싶은 일은 뭐예요? 그리고 해야 하는 일은 뭐예요? 친구와 이야기해 보세요.

하고 싶은 일	해야 하는 일
• 집에서 쉬고 싶어요.	• 집안일을 해야 해요.
•	•

새 어휘 | 팀/가운데/뒤집다/가지다/틀리다/박수/치다/집안일

-거나, (이)나 | -(으)ㄹ까요?

1. 다음과 같이 대화를 완성해 보세요.

1) 가 : 주말에 뭐 해요?
   나 : ________________.

2) 가 : 보통 점심에 뭐 먹어요?
   나 : ________________.

3) 가 : 친구를 보통 어디에서 만나요?
   나 : ________________.

4) 가 : 친구를 만나서 뭐 해요?
   나 : ________________.

2. 다음과 같이 약속을 정하는 대화를 완성해 보세요.

☐ 네 ☐ 아니요

우리 주말에 만날까요? (만나다)
네. 좋아요.

1) ☐ 오전 11시 ☐ 오후 5시

가 : 몇 시에 ________________? (보다)
나 : ________________.

⇩

2) ☐ 불고기 ☐ 스파게티

가 : 뭐 ________________? (먹다)
나 : ________________.

⇩

3) ☐ 쇼핑을 하다 ☐ 영화를 보다

가 : 밥을 먹고 뭐 ________________? (하다)
나 : ________________.

⇩

4) 

가 : ________ 하고 뭐 ________? (하다)
나 : ________________.

새 어휘 | 스파게티

휴일에 하는 일

1. 친구들은 주말에 무엇을 할까요? 다음을 잘 듣고 대화를 완성해 보세요.

01

수지 씨는 보통 주말에 뭐 해요?

저는 집에서 음식을 만들거나 드라마를 봐요.

1) 가 : 재민 씨는 주말에 친구를 만나서 뭐 해요?
   나 : 저는 친구하고 ………… 게임을 ………… .

2) 가 : 안나 씨는 주말에 뭐 해요?
   나 : 저는 보통 음악을 ………… 악기를 ………… .

3) 가 : 주노 씨는 주말에 집에서 뭐 해요?
   나 : 저는 만화를 ………… 을 읽어요.

2. 두 사람이 주말 계획을 이야기해요. 다음을 잘 듣고 같으면 ○, 다르면 × 표시를 하세요.

02

1) 이번 주말에는 비가 올 거예요. ( )
2) 두 사람은 주말에 등산을 할 거예요. ( )
3) 두 사람은 일요일 오전에 만날 거예요. ( )

3. 여러분의 취미는 뭐예요? 우리 반에 취미가 같은 친구가 있어요? 다음을 보고 이야기해 보세요.

1) 여러분의 취미는 뭐예요?

음식을 만들어요	악기를 연주해요	소설을 읽어요	
스포츠 경기를 봐요	배드민턴을 쳐요	풍경 사진을 찍어요	

2) 여러분과 같은 취미를 가진 친구가 있어요? 그럼 그 친구와 약속을 정해 보세요.

마리 : 우리 주말에 같이 배드민턴을 칠까요?
재민 : 네. 좋아요. 언제 만날까요?
마리 : 저는 토요일 오후나 일요일 오전에 시간이 있어요.
재민 : 그럼 토요일 오후에 공원에서 만날까요?
마리 : 좋아요.

3) 약속한 것을 메모하고 발표해 보세요.

저하고 재민 씨는 배드민턴 치는 것을 좋아해요. 그래서 토요일 오후에 공원에서 만나서 배드민턴을 칠 거예요.

이름	무슨 취미가 같아요?	언제 만날 거예요?	어디에서 할 거예요?

소개하기

1. 우리 반 친구들에게 나를 소개하는 글을 쓰려고 해요. 뭘 쓰면 좋을까요? 아래 내용을 간단하게 메모해 보세요.

나의 직업	
한국어를 배우는 이유	

2. 메모를 보고 처음 만난 친구들에게 나를 소개하는 글을 써 보세요.

안녕하세요?

저는 ______________________ 라고 해요. ____________

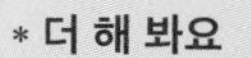

감사합니다.

* 더 해 봐요
• 1과 '읽고 쓰기'의 글을 다시 읽고 써 보세요.

하루 일과

1. 여러분은 어떤 일을 자주 해요? 다음과 같이 말해 보세요.

	예시	나
1) 어떤 일을 자주 해요?	동아리 활동	
2) 보통 언제 해요?	매주 수요일	
3) 누구하고 같이 해요?	동아리 친구들	
4) 왜 그 일을 자주 해요?	영화를 좋아해서	

저는 수요일마다 학교에서 영화 동아리 친구들을 만나요. 만나서 같이 영화를 보고 이야기를 해요. 영화를 아주 좋아해서 동아리 활동을 자주 해요. …

2. 여러분이 좋아하는 사람은 매일 무슨 일을 할까요? 다음을 보고 이야기해 보세요.

1) 여러분이 좋아하는 사람의 이름이 뭐예요? 몇 살이에요? 직업이 뭐예요? 무슨 일을 해요? 메모해 보세요.

이름: 시온	나이: 23살	직업: 가수
이름:	나이:	직업:

2) 그 사람은 매일 어떤 일을 할까요?
여러분이 그 사람이 되어서 다음과 같이 친구에게 하루 일과를 소개해 보세요.

안녕하세요. 저는 시온이에요. 23살이고 한국 가수예요.
저는 요즘 새 노래를 만들고 있어요. 그래서 매일 오전 3시쯤에 자고 11시쯤에 일어나요.
일어나서 샤워를 하고 커피를 한 잔 마셔요.
그리고 …

마다 | -(으)ㄹ 때

1. 다음과 같이 이야기해 보세요.

☐ 아침 ☐ 저녁 ☐ 날 ☐ 휴일 ☐ 주말 ☐ ....

저는 아침마다 차를 마셔요.

2. 여러분은 이럴 때 무엇을 해요? 다음과 같이 이야기해 보세요.

☐ 시험이 있다 ☐ 비가 많이 오다 ☐ 약속 시간에 늦다
☐ 돈이 없다 ☐ 슬프다 ☐ ....

저는 시험이 있을 때마다 잠을 안 자고 공부해요.

3. 여러분은 언제 이런 일을 해요? 다음과 같이 친구와 이야기하고 메모해 보세요.

☐ 노래를 불러요 ☐ 등산을 해요 ☐ 커피를 마셔요 ☐ 요리를 해요 ☐ 청소를 해요
☐ 친구를 만나요 ☐ 자전거를 타요 ☐ .... ☐ ....

언제 등산을 해요?

저는 등산을 안 해요.

언제 커피를 마셔요?

출근할 때 커피를 마셔요.

	친구가 하는 일	언제 해요?
1)	커피를 마셔요.	출근할 때
2)		
3)		
4)		

새 어휘 | 날

저녁 약속

1. 인터넷 방송에서 수지 씨를 인터뷰해요. 다음을 잘 듣고 질문에 답하세요.

1) 수지 씨는 직업이 뭐예요?

2) 수지 씨는 매일 무엇을 해요?

3) 수지 씨는 언제 힘들어요?

2. 여러분은 이럴 때 어떻게 해요? 다음과 같이 친구와 이야기해 보세요.

재민 : 마리 씨는 회사에서 졸릴 때 어떻게 해요?
마리 : 찬물을 마셔요.

상황	이름	방법
회사에서 자고 싶다	마리	찬물을 마셔요.
일이 많지만 놀고 싶다		

새 어휘 | 찬물/놀다

편지 읽기

1. 오랫동안 못 만난 친구에게 쓴 편지예요. 어떤 이야기를 썼을까요? 다음 글을 읽고 질문에 답하세요.

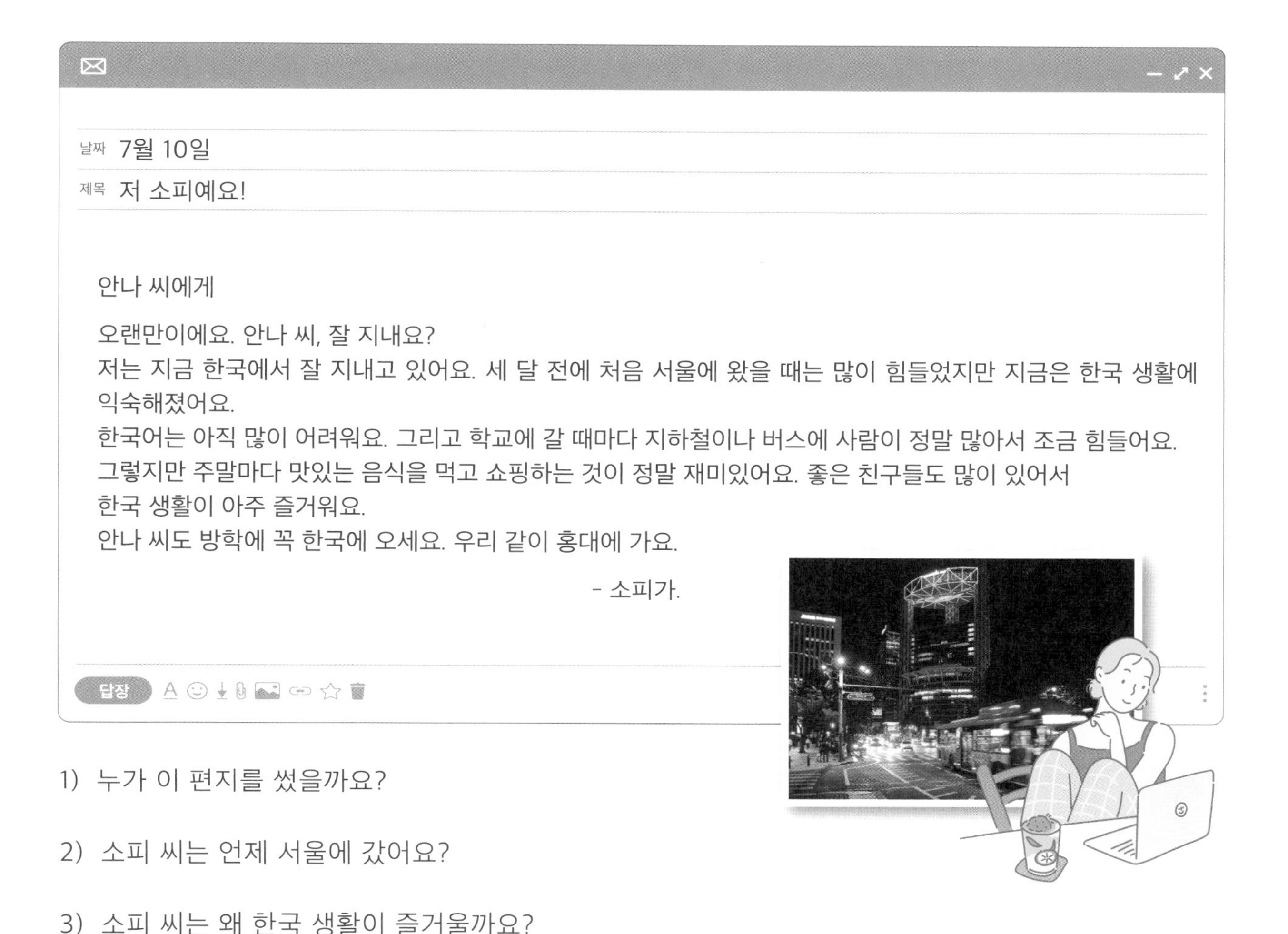

날짜 7월 10일

제목 저 소피예요!

안나 씨에게

오랜만이에요. 안나 씨, 잘 지내요?
저는 지금 한국에서 잘 지내고 있어요. 세 달 전에 처음 서울에 왔을 때는 많이 힘들었지만 지금은 한국 생활에 익숙해졌어요.
한국어는 아직 많이 어려워요. 그리고 학교에 갈 때마다 지하철이나 버스에 사람이 정말 많아서 조금 힘들어요.
그렇지만 주말마다 맛있는 음식을 먹고 쇼핑하는 것이 정말 재미있어요. 좋은 친구들도 많이 있어서 한국 생활이 아주 즐거워요.
안나 씨도 방학에 꼭 한국에 오세요. 우리 같이 홍대에 가요.

- 소피가.

1) 누가 이 편지를 썼을까요?

2) 소피 씨는 언제 서울에 갔어요?

3) 소피 씨는 왜 한국 생활이 즐거울까요?

2. 친구에게 쓰는 편지글은 어떻게 쓰면 좋을까요?

√ 인사말을 써요.

√ 친구가 잘 지내는지 질문해요.

√ ....

√ ....

⊕ **더 알아봐요**

- 전에 친구에게 쓴 편지를 찾아보세요.
- 어떤 이야기를 썼는지 읽어 보세요.
- 한국어로 편지를 쓸 때는 어떤 표현을 쓸까요?

새 어휘 | 읽기 / 오랜만이에요 / 익숙하다 / 홍대 / 인사말

옷차림

1. 좋아하는 옷차림을 이야기해 보세요.

1) 2명이 한 팀을 만드세요.

2) 여러분이 입고 싶은 옷차림을 그려 보세요.

3) 종이에 그린 옷차림을 친구에게 이야기하세요.

4) 친구의 이야기를 듣고 친구가 입고 싶어 하는 옷차림을 그려 보세요.

5) 내가 그린 그림과 친구가 그린 옷차림이 같은지 보세요.

2. 친구의 옷차림을 이야기해 보세요.

1) 우리 반 친구들의 옷차림이 어때요? 단어를 모르면 선생님께 질문하거나 사전을 찾아보세요.

2) 새로 배운 단어를 써 보세요.

3) 내 왼쪽에 앉은 친구의 옷차림이 어때요? 친구와 이야기해 보세요.

안나 씨는 지금 청바지에다가 블라우스를 입고 스카프를 하고 운동화를 신고 있어요.

유진 씨는…

새 어휘 | 종이/사전

-기로 하다 | 에다가

1. 다음에서 알맞은 것을 골라 대화를 완성해 보세요.

설탕	콜라	빵	커피	고기
밥	우유	피자	채소	홍차

아침에 뭘 먹었어요?

아침에 빵에다가 우유를 먹었어요.

1) 가 : 점심에는 뭘 먹을 거예요?
   나 : 점심에 ______________ 먹을 거예요.

2) 가 : 커피나 홍차를 마실 때 뭘 넣어 마셔요?
   나 : 저는 ______________ 넣어 마셔요.

3) 가 : 비빔밥은 어떤 음식이에요?
   나 : 비빔밥은 ______________ 넣어서 비벼먹는 음식이에요.

2. 여러분은 어떤 계획이 있어요? 다음과 같이 이야기해 보세요.

1) 계획이 있어요? 메모해 보세요.

	언제 해요?	어디에서 해요?	누구와 해요?	무엇을 해요?
1)	오늘 저녁	식당	마리 씨	같이 밥을 먹고 산책해요
2)	이번 일요일			
3)	올해			
4)	내년			
5)				

2) 나의 계획을 친구와 이야기해 보세요.

저는 오늘 저녁에 식당에서 마리 씨를 만나기로 했어요.
같이 밥을 먹은 후에 산책하기로 했어요.

새 어휘 | 설탕 / 홍차 / 섞다 / 올해

옷 입기

1. 재민 씨와 마리 씨가 회사에서 이야기해요. 다음을 잘 듣고 같으면 ○, 다르면 × 표시를 하세요.

1) 재민 씨와 마리 씨는 같이 출장을 가기로 했어요. ( )

2) 중요한 회의에서는 정장에다가 구두를 신는 것이 좋아요. ( )

3) 마리 씨가 한국에서 회의를 할 때는 날씨가 아주 더울 거예요. ( )

2. 한국 사람들은 언제 어떤 옷을 입을까요? 그림을 보고 친구와 이야기해 보세요.

결혼식에 갈 때 어떤 옷을 입어요?

보통 남자는 정장에다가 구두를 신고 여자는 원피스에다가 구두를 신어요.

새 어휘 | 잠깐/출장/코트/저고리/교복/중학교/웨딩드레스/나비넥타이/재킷

편지 쓰기

1. 오랫동안 못 만난 친구에게 편지를 쓰려고 해요. 무엇을 어떻게 쓰면 좋을까요? 아래 내용을 간단하게 메모해 보세요.

시작 인사를 해요.	
친구가 잘 지내는지 질문해요.	
내가 요즘 하는 일을 이야기해요.	
끝인사를 해요.	

2. 메모를 보고 오랫동안 만나지 못한 친구에게 이메일을 써 보세요.

제목:

받는 사람: ________ 에게

시작 인사:

하고 싶은 말:

끝인사:

보내는 사람: ________ 이 / 가.

보내기

⊕ **더 알아봐요**

- 이 편지를 이메일로 친구에게 보내 보세요.

새 어휘 | 끝인사

집

1. 어디예요? 그 장소가 어때요? 다음에서 알맞은 것을 골라 이야기해 보세요.

2. (가)와 (나)는 어떤 방이에요? 여러분은 어떤 방에서 살고 싶어요? 다음과 같이 이야기해 보세요.

저는 (나)에서 살고 싶어요. 짐이 많이 있는 것을 좋아하지 않아서요. 조금 어둡지만 넓고 깨끗해서 좋아요.

-기가 좋다 | -지 않다, -지 못하다

1. 다음에서 알맞은 것을 골라 대화를 완성해 보세요.

☐ 듣다 ☐ 읽다 ☐ 산책하다 ☐ 살다 ☐ 먹다

☐ -기 좋아요
☐ -기 안 좋아요

이 음악이 어때요?
듣기 좋아요.

1) 가 : 이 책이 어때요?
나 : 단어가 어렵지 않아서 __________.

2) 가 : 집이 어때요?
나 : 넓어서 __________.

3) 가 : 그 음식이 어때요?
나 : 너무 뜨거워서 __________.

4) 가 : 봄 날씨가 어때요?
나 : 따뜻해서 __________.

2. 여러분은 무엇을 하지 않아요? 또 무엇을 하지 못해요? 그 이유가 뭐예요? 다음과 같이 친구와 이야기해 보세요.

저는 버스나 지하철이 더 편해요. 그래서 운전을 하지 않아요.

저는 운전면허증이 없어요. 그래서 운전을 하지 못해요.

누가	하지 않아요.	하지 못해요.
나		
친구 1		
친구 2		

새 어휘 | 운전면허증

새집 이야기

1. 김민수 씨가 텔레비전에서 집을 소개해요. 다음을 잘 듣고 질문에 답하세요.

01

1) 김민수 씨는 이 집에 언제 이사를 왔어요?

2) 같으면 ○, 다르면 × 표시를 하세요.

① 김민수 씨 집에는 방이 세 개 있어요. ( )
② 김민수 씨는 요리하는 것을 좋아하지 않아요. ( )
③ 김민수 씨는 지금 가족들하고 같이 살고 있어요. ( )

2. 멋진 집을 본 경험이 있어요? 누구의 집이었어요? 어떤 집이었어요? 다음과 같이 이야기해 보세요.

저는 인터넷에서 가수 시온 씨의 집을 봤어요. 아주 깨끗하고 멋있는 3층 주택이었어요. 집에 넓은 주차장과 수영장이 있었어요. 정원에는 큰 나무하고 예쁜 꽃이 많았어요. 저도 그런 집에서 살고 싶어요.

새 어휘 | 멋지다/주택/정원/나무

집 소개

1. 어떤 사람이 인터넷에 집을 소개하는 글을 썼어요. 다음 글을 읽고 질문에 답하세요.

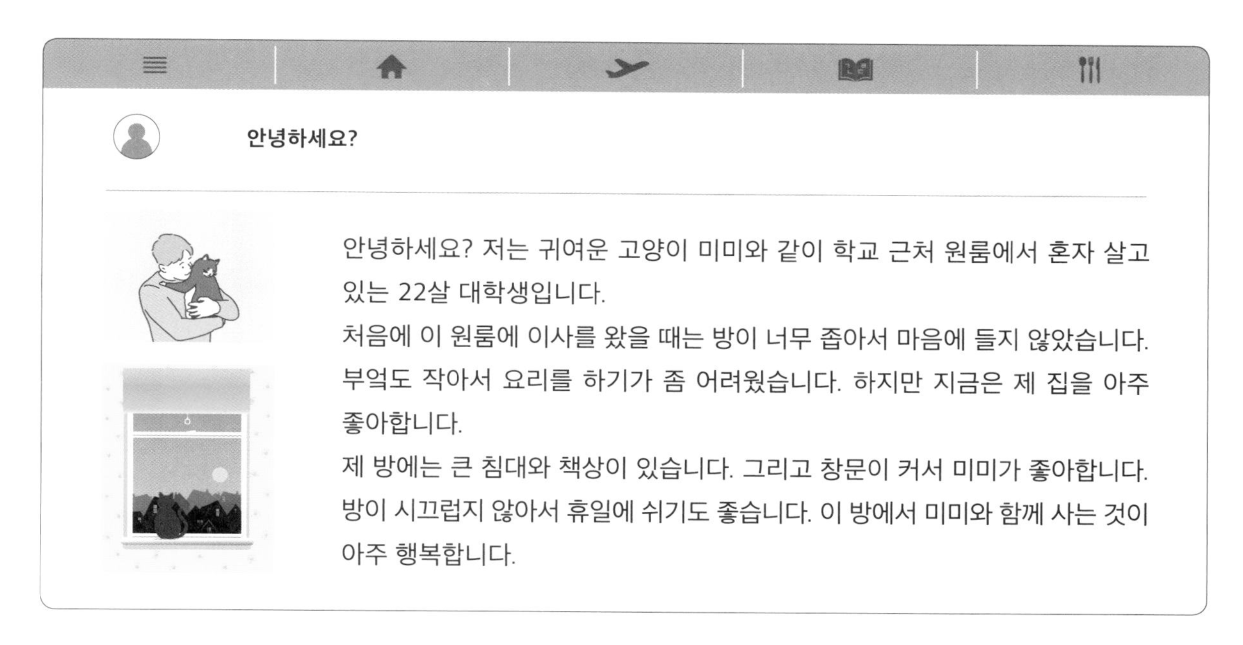
안녕하세요?

안녕하세요? 저는 귀여운 고양이 미미와 같이 학교 근처 원룸에서 혼자 살고 있는 22살 대학생입니다.
처음에 이 원룸에 이사를 왔을 때는 방이 너무 좁아서 마음에 들지 않았습니다. 부엌도 작아서 요리를 하기가 좀 어려웠습니다. 하지만 지금은 제 집을 아주 좋아합니다.
제 방에는 큰 침대와 책상이 있습니다. 그리고 창문이 커서 미미가 좋아합니다. 방이 시끄럽지 않아서 휴일에 쉬기도 좋습니다. 이 방에서 미미와 함께 사는 것이 아주 행복합니다.

1) 이 사람은 지금 어디에서 누구와 살고 있어요?

2) 다음 중 글의 내용과 같은 것을 고르세요.

① 이 사람이 사는 원룸은 시끄러워요.
② 이 사람은 지금 사는 곳을 싫어해요.
③ 이 사람이 사는 원룸은 부엌이 좁아요.
④ 이 사람이 사는 원룸에는 창문이 없어요.

2. 집을 소개하는 글에 무엇을 쓰면 좋을까요?

√ 어디에 사는지 써요.
√ 집이 어떤지 써요. (깨끗해요 / 밝아요 / 좁아요 / 짐이 많아요…)
√ 집에 뭐가 있는지 써요.
√ ....
√ ....

새 어휘 | 원룸 / 마음에 들다 / 시끄럽다

장소와 물건

1. 아래의 거실은 어떤 모습이에요? 거실에 무엇이 놓여 있어요? 무엇이 걸려 있어요? 다음과 같이 쓰고 말해 보세요.

놓여 있어요
소파

걸려 있어요
옷

거실에 소파가 놓여 있어요. 옷걸이에 옷이 걸려 있어요.

2. 여러분 집의 거실에는 무엇이 있어요? 말해 보세요.

새 어휘 | 옷걸이

-(으)면서 | -지요?

1. 그림을 보고 다음과 같이 친구와 이야기해 보세요.

75쪽

저기 웃으면서 전화하는 사람 알아요? 누구예요?

아, 저 사람은 유진 씨예요.

2. 우리 반 친구에 대해서 알고 있는 것을 써 보세요. 그것이 맞아요? 다음과 같이 친구에게 확인해 보세요.

안나 씨는 영어를 잘하지요?

네. 맞아요.

이름	내가 아는 것	맞아요 / 아니에요
안나	영어를 잘해요.	맞아요.

자주 가는 장소

1. 마리 씨와 안나 씨가 세종학당에서 만나서 이야기해요. 다음을 잘 듣고 질문에 답하세요. 01

1) 두 사람은 내일 카페에서 무엇을 할 거예요?

2) 같으면 ○, 다르면 × 표시를 하세요.

① 두 사람은 다음 주에 시험을 봐요. ( )
② 안나 씨는 요즘 열심히 시험공부를 했어요. ( )
③ 마리 씨는 매일 세종학당 옆 카페에 가요. ( )

2. 여러분이 자주 가는 장소에 대해서 말해 보세요.

1) 여러분은 어디에 자주 가요? 거기에서 무엇을 해요? 왜 자주 가요? 아래에 메모하고 반 친구들에게 소개해 보세요.

장소	
거기에서 하는 일	
자주 가는 이유	

2) 반 친구들이 소개한 장소를 모두 들었지요? 어디에 가 보고 싶어요? 왜 거기에 가고 싶어요? 아래에 메모하고 발표해 보세요.

가 보고 싶은 장소	이유
•	•
•	•
•	•

집 소개

1. 여러분은 어떤 집에 살아요? 집에 무엇이 있어요? 여러분 집에서 마음에 드는 것이 뭐예요? 아래 내용을 간단하게 메모해 보세요.

어디에 살아요?	□ 아파트 □ 주택 □ 원룸 □
집이 어때요?	□ 깨끗하다 □ 지저분하다 □ 넓다 □ 좁다 □ 밝다 □ 어둡다 □ □
집에 뭐가 있어요?	
뭐가 마음에 들어요?	
뭐가 마음에 안 들어요?	

2. 메모를 보고 여러분의 집을 소개하는 글을 써 보세요.

＊더 해 봐요

• 5과 '읽고 쓰기'의 글을 다시 읽고 써 보세요.

스트레스 증상

1. 다음 그림을 보고 알맞은 것을 골라 보세요.

☐ 속이 안 좋아요.

☐ 가슴이 답답해요.

☐ 머리가 복잡해요.

☐ 눈이 부었어요.

☐ 잠이 안 와요.

☐ 얼굴에 뭐가 났어요.

1) 
눈이 부었어요.

2) 
....

3) 
....

4) 
....

5) 
....

6) 
....

2. 선생님께 증상 카드를 받으세요. 어디가 어떻게 아파요? 친구에게 설명해 보세요.

77쪽

1) 팀을 만들고 선생님께 증상 카드를 받으세요.
2) 카드를 한 장 뽑으세요. 그리고 말과 몸을 사용하여 증상을 설명해 보세요.
3) 다른 친구들은 설명을 잘 듣고 어떤 증상인지 이야기해 보세요.
4) 빨리 답을 말한 친구에게 카드를 주세요. 카드를 많이 가진 친구가 이기는 거예요.

새 어휘 | 증상/뽑다/사용하다/설명하다/이기다

-(으)면 | ㅅ 불규칙

1. 다음에서 알맞은 것을 골라 친구와 이야기해 보세요. 빈칸은 여러분이 쓰고 이야기해 보세요.

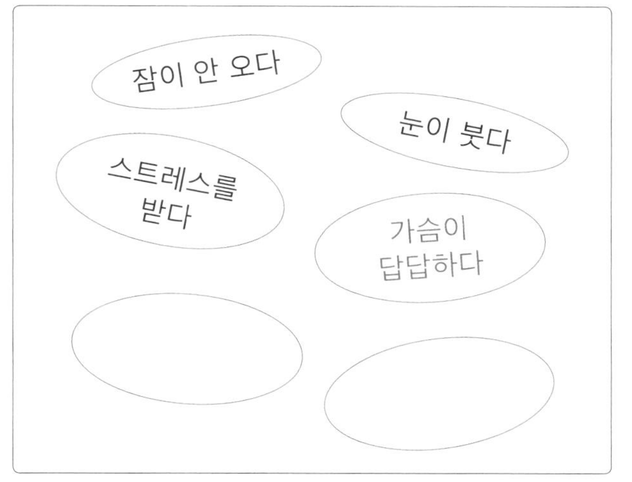

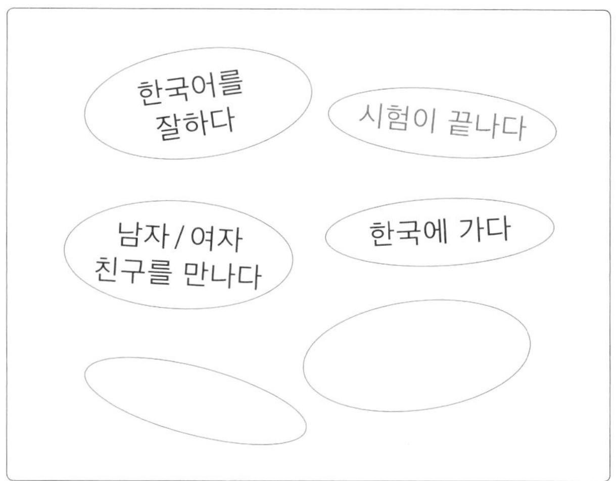

가슴이 답답하면 어떻게 해요?

가슴이 답답하면 산책을 해요.

시험이 끝나면 뭐 하고 싶어요?

시험이 끝나면 여행을 가고 싶어요.

2. 돈이 많으면 뭐 할 거예요? 친구와 이야기를 이어서 만들어 보세요.

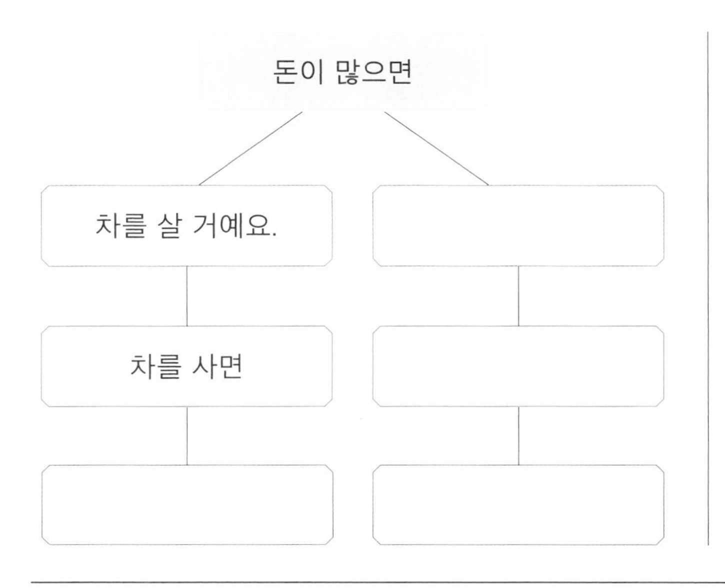

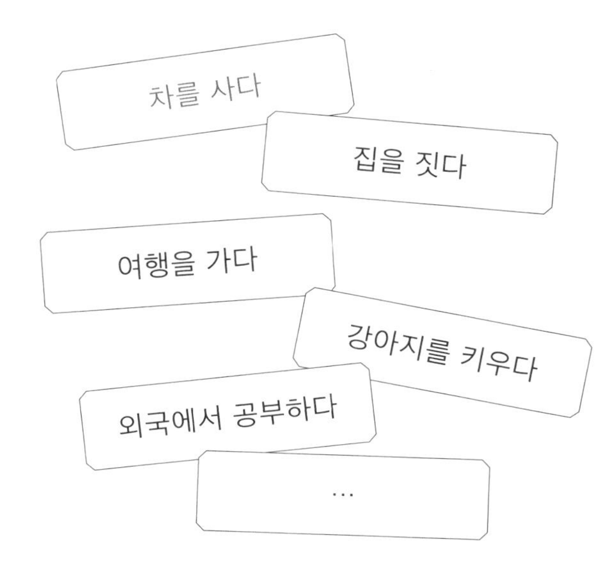

새 어휘 | 차/키우다

바쁜 생활과 스트레스

1. 재민 씨와 마리 씨가 스트레스 증상에 대해 이야기해요. 다음을 잘 듣고 질문에 답하세요. 01

1) 다음을 잘 듣고 알맞은 말을 찾아 써 보세요.

□ 어디 아파요	□ 속도 좀 안 좋아요	□ 스트레스를 많이 받았죠
□ 열이 좀 있어요	□ 도와줄까요	□ 빨개요

① 재민: 네. ______________. 가슴도 답답하고 ______________.
② 마리: 제가 뭐 좀 ______________?
③ 마리: 재민 씨, ______________? 얼굴이 ______________.
④ 재민: 네. 마리 씨, 고마워요.
⑤ 재민: 아니에요. 이 일만 끝내고 가려고요.
⑥ 마리: 요즘 ______________? 회의도 끝났으니까 오늘은 일찍 가서 쉬세요.

2) 순서대로 번호를 써 보세요. 그리고 다시 듣고 맞는지 확인해 보세요. 02

(③) → ( ) → ( ) → ( ) → ( ) → ( )

2. 여러분도 학교나 회사에서 스트레스를 받아서 몸이 안 좋았어요? 언제 그랬어요? 그때 어떻게 했어요? 친구와 이야기해 보세요.

	언제 몸이 안 좋았어요?	왜 스트레스를 받았어요?	그때 어떻게 했어요?
나			

고민 상담

1. 유진 씨가 요즘 고민하고 있는 것을 썼어요. 다음 글을 읽고 질문에 답하세요.

요즘 학교 과제와 시험이 많아서 고민입니다. 공부하는 것은 재미있지만 시험을 준비하는 것은 정말 힘듭니다. 그래서 스트레스를 아주 많이 받습니다. 저는 스트레스를 받으면 가슴이 답답하고 잠이 안 옵니다. 잠을 못 자면 얼굴도 붓고 얼굴에 뭐가 납니다. 또 스트레스를 받으면 가족이나 친구들에게 짜증을 잘 냅니다. 그래서 가족과 친구들이 걱정을 합니다. 여러분도 시험이 있으면 스트레스를 받습니까? 스트레스를 받지 않는 좋은 방법이 있을까요?

1) 유진 씨는 왜 스트레스를 받았어요?

2) 유진 씨는 스트레스를 받으면 어때요?

3) 이 글을 왜 썼을까요?

2. 여러분이 고민하고 있는 것에 대해 다른 사람에게 조언을 듣고 싶을 때 무슨 내용을 쓰면 좋을까요?

- 요즘 고민하는 문제를 써요.
- 문제가 생긴 이유도 같이 써요.
- ______________________________.
- ______________________________.

3. 여러분은 요즘 스트레스를 받는 일이 있어요? 무슨 일이에요? 스트레스를 받아서 어떤 증상이 생겼어요?

스트레스 받는 일	
증상	

새 어휘 | 고민/상담/문제

생활 습관

1. 여러분은 어떤 습관이 있어요? 여러분의 습관을 찾아 쓰고 빙고 게임을 해 보세요. 빈칸에는 여러분의 습관을 써 보세요.

- 아침을 꼭 먹어요.
- 일찍 자고 일찍 일어나요.
- 손을 잘 씻어요.
- 한숨을 쉬어요.
- 야식을 먹어요.
- 가벼운 운동을 해요.
- 음식을 많이 먹어요.
- 컴퓨터를 오래 해요.
- 물을 자주 마셔요.
- 늦게 자고 늦게 일어나요.
-
-

2. 성공한 사람들은 어떤 습관이 있을까요? 여러분이 닮고 싶은 사람들의 습관을 찾아서 써 보세요. 그리고 친구들이 찾은 것과 비교해 보세요.

√ 아침에 일찍 일어나요.

√ 해야 하는 일을 항상 메모해요.

√ ....

√ ....

새 어휘 | 한숨을 쉬다

-는데/(으)ㄴ데

-아/어 보다

1. 아래 빈칸을 채우고 문장을 만들어 보세요.

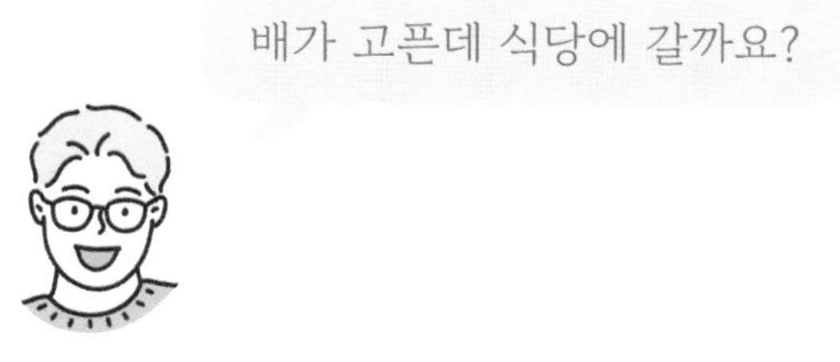

1)

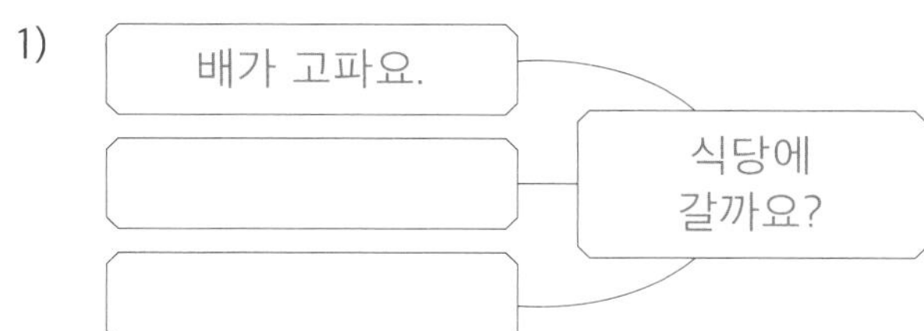

2)

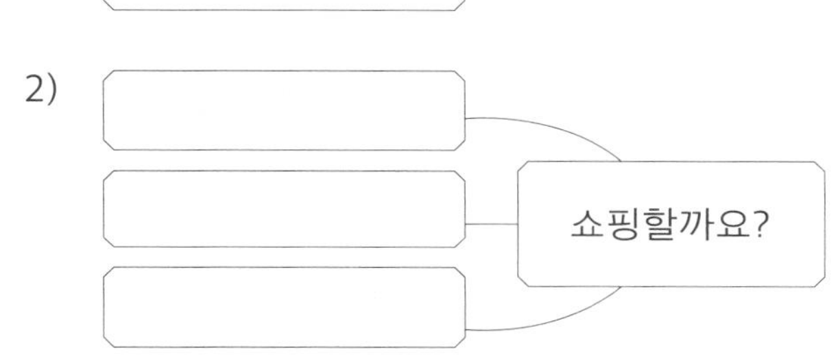

3) 재미있었어요.

4)

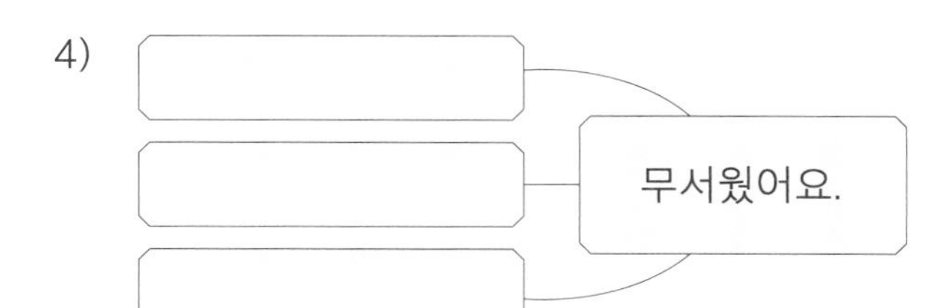

5)

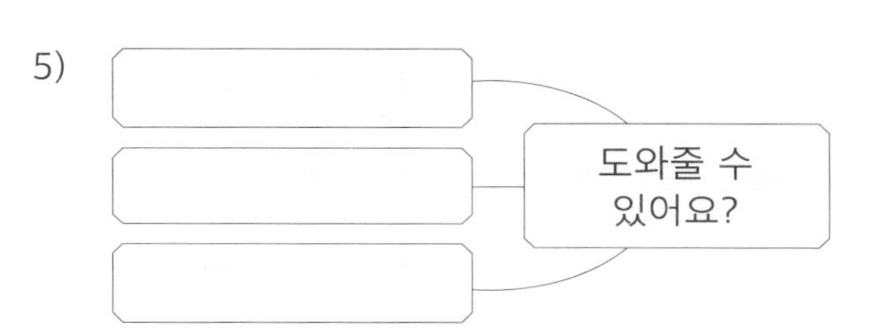

2. 여러분이 다른 사람들보다 잘하거나 많이 알고 있는 것이 있어요? 다음과 같이 친구와 이야기해 보세요.

저는 요리를 잘해요.

저는 한국어 말하기를 잘해요.

저는 재미있는 영상을 많이 알아요.

1) 친구들은 무엇을 잘하거나 많이 알고 있을까요? 친구들에게 물어보세요.

친구: ....

친구: ....

2) 친구들과 팀을 만들어 서로 자신이 알고 있는 좋은 방법을 다음과 같이 알려 주세요.

요리를 잘하고 싶으면 영상을 보면서 연습해 보세요. 제가 자주 보는 영상은….

새 어휘 | 영상

생활 습관 조언

1. 안나 씨와 주노 씨가 다른 친구들의 고민을 듣고 조언을 해요. 다음을 잘 듣고 메모해 보세요.

1) 안나의 조언:

2) 주노의 조언:

2. 다음 친구들의 고민을 잘 듣고 안나 씨와 주노 씨 중에 누구의 조언이 좋을지 이름을 써 보세요.

1) (　　　　　　)　　2) (　　　　　　)

3. 여러분은 이 친구들에게 어떤 조언을 하고 싶어요? 메모하고 친구와 이야기해 보세요.

1)

2)

새 어휘 | 조언

조언 주고 받기

1. 친구에게 고민이 있을 때 어떻게 조언을 하면 좋을까요? 아래 친구들의 조언을 읽어 보세요.

A 저는 한국에서 대학교에 가고 싶어요. 그래서 지금 열심히 한국어를 공부하고 있어요. 그런데 한국어 말하기가 어려워요. 말을 더 잘하고 싶은데 좋은 방법이 있을까요?

Re 한국 드라마를 많이 보세요. 그럼 한국 사람들이 자주 사용하는 말을 알 수 있어요. 또 드라마를 보면서 따라 해 보세요. 재미있을 거예요.

Re 한국 친구를 사귀어 보세요. 그리고 친구와 한국말로 이야기해 보세요. 그럼 연습을 많이 할 수 있을 거예요.

2. 여러분의 고민을 써 보세요. 그리고 친구에게 조언을 받아 써 보세요. 여러분도 친구의 고민을 보고 조언을 해 주세요.

나의 고민	

Re

Re

Re

⊕ **더 알아봐요**

- 친구에게 조언을 듣고 싶은 고민을 잘 생각해 보세요.
- 어떤 조언이 마음에 들어요? 마음에 드는 조언을 이야기해 보세요.

음식과 주문

1. 아래 음식의 이름을 알아요? 맞는 그림을 골라 번호를 써 보세요. 그리고 여러분이 아는 음식 이름을 말해 보세요.

1) 칼국수 (　　) 2) 떡국 (　　) 3) 짬뽕 (③) 4) 순두부찌개 (　　)
5) 짜장면 (④) 6) 미역국 (　　) 7) 스파게티 (　　) 8) 갈비탕 (　　)

저는 짬뽕과 짜장면을 알아요.

2. 친구들에게 소개하고 싶은 음식이 뭐예요? 왜 그 음식을 소개하고 싶어요? 핸드폰으로 사진을 보여 주면서 말해 보세요.

이 음식은 돈가스예요. 저는 돈가스를 너무 좋아해서 일주일에 한 번은 꼭 먹어요. 정말 맛있으니까 여러분도 한번 먹어 보세요.

-는/(으)ㄴ/(으)ㄹ 것 같다

-는 게 어때요?

1. 지금 무엇을 하는 것 같아요? 잘 듣고 다음과 같이 써 보세요.

01

1) 아이들이 뛰는 것 같아요. 2) ________.

3) ________. 4) ________.

2. 내일 좋아하는 사람을 만날 거예요. 그 사람하고 어디에서 무엇을 하면 좋을까요? 다음과 같이 친구와 이야기해 보세요.

1) 그 사람은 뭘 좋아해요?

☐ 책 ☐ 영화 ☑ 운동 ☐ 그림 ☐ ________

2) 그 사람은 어떤 음식을 좋아해요?

☐ 고기 요리 ☑ 채소 요리 ☐ 탕 요리 ☐ 면 요리 ☐ ________

3) 또 뭘 하면 좋을까요?

☐ 후식을 먹다 ☐ 산책을 하다 ☑ 카페에 가다 ☐ ________

내일 좋아하는 친구를 만날 거예요. 뭘 하는 게 좋을까요?

그 사람은 뭘 좋아해요?

운동을 좋아해요.

그럼 같이 자전거를 타는 게 어때요?

좋아요. 식사도 하려고 하는데 뭐가 좋을까요?
그 사람은 채소 요리를 좋아해요.

그럼 비빔밥을 먹는 게 어때요?

좋아요. 또 뭘 하면 좋을까요?

카페에 가는 게 어때요?

⋮

새 어휘 | 후식

음식 주문

1. 재민 씨와 마리 씨가 식당에서 같이 밥을 먹고 있어요. 다음을 잘 듣고 질문에 답하세요.

02

1) 들은 내용과 다른 것을 고르세요.

① 이 식당 음식은 다 맛있어요.
② 이 식당은 여러 가지 반찬을 줘요.
③ 오늘은 재민 씨가 마리 씨의 음식값도 낼 거예요.
④ 이 식당에서는 반찬을 더 먹고 싶으면 돈을 내야 해요.

2) 한국 식당에서 반찬을 더 먹고 싶을 때는 어떻게 말할까요? 재민 씨의 말을 잘 듣고 써 보세요.

아주머니, ______________________________!

2. 한국 식당에서 어떻게 말할 수 있어요? 친구와 이야기해 보세요.

활동카드 79쪽

1) 아래 표현을 확인해 보세요.

메뉴를 받아요.		메뉴를 정해요.	
메뉴 좀 주세요.	네. 여기 있습니다.	뭐가 맛있을까요?	김치찌개를 먹는 게 어때요?
음식을 주문해요.		**반찬을 더 부탁해요.**	
주문 하시겠어요?	네. 김치찌개하고 갈비탕 주세요.	여기요! 반찬 좀 더 주세요.	네. 잠시만요.
계산해요.		______________	
얼마죠?	삼만 원입니다.	?	

2) 선생님께 메뉴를 받으세요. 그리고 세 명이 팀을 만들어서 이야기해 보세요. 한 사람은 점원, 두 사람은 손님이에요. 위에서 확인한 표현을 사용해 보세요.

새 어휘 | 반찬/부탁하다/아주머니/값

특별한 날에 먹는 음식

1. 다음은 한국 사람들이 특별한 날에 먹는 음식을 소개하는 글입니다. 잘 읽고 질문에 답하세요.

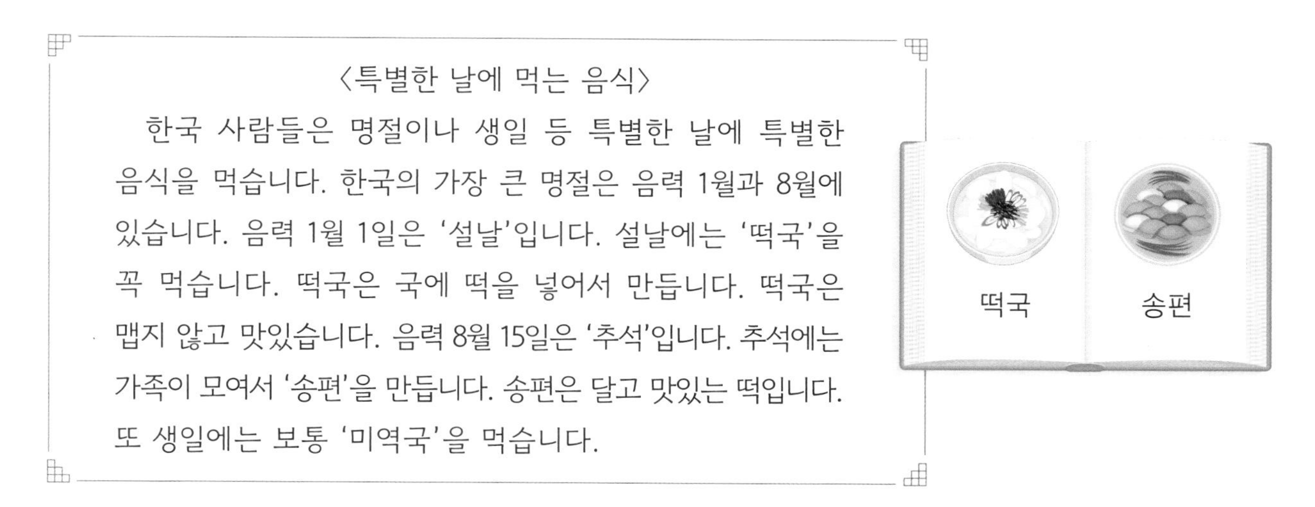

〈특별한 날에 먹는 음식〉

한국 사람들은 명절이나 생일 등 특별한 날에 특별한 음식을 먹습니다. 한국의 가장 큰 명절은 음력 1월과 8월에 있습니다. 음력 1월 1일은 '설날'입니다. 설날에는 '떡국'을 꼭 먹습니다. 떡국은 국에 떡을 넣어서 만듭니다. 떡국은 맵지 않고 맛있습니다. 음력 8월 15일은 '추석'입니다. 추석에는 가족이 모여서 '송편'을 만듭니다. 송편은 달고 맛있는 떡입니다. 또 생일에는 보통 '미역국'을 먹습니다.

1) 이 음식은 언제 먹어요? 알맞은 것을 연결해 보세요.

① 미역국 •	• 설날
② 송편 •	• 생일
③ 떡국 •	• 추석

2) 같으면 ○, 다르면 × 표시를 하세요.

① 한국에서 제일 큰 명절은 설날과 추석이에요. (　　　)

② 송편은 국에 떡을 넣어서 만들어요. (　　　)

2. 여러분 나라의 음식 문화를 소개하는 글을 쓸 거예요. 무슨 내용을 쓰면 좋을까요?

√ 특별한 날의 이름과 날짜

√ 특별한 음식의 이름과 만드는 방법

√ 특별한 음식의 맛

 ……………………………………

새 어휘 | 등/음력/설날/추석/가족/송편

색과 모양

1. 그림을 보고 알맞은 표현을 골라 이야기해 보세요.

이 모자는 노랗고 아주 작아요. 앞에 토끼 그림이 있어요.

2. 여러분 나라에서는 이럴 때 어떤 옷을 입어요? 다음과 같이 이야기해 보세요.

1) 결혼할 때	2) 다른 사람의 결혼식에 갈 때
3) 장례식에 갈 때	4) 졸업식에 갈 때
5) 명절 때	6)

한국에서는 결혼할 때 여자는 하얀 드레스를 입어요. 그리고 남자는 하얀색이나 검은색 정장을 입어요. 우리 나라에서는…

새 어휘 | 장례식/드레스/우리

ㅎ 불규칙 | -(으)면 좋겠다

1. 순서대로 질문에 계속 대답하는 색깔 게임을 해 보세요.

1) 위 색 중에서 한 개를 고르세요. 그리고 다음과 같이 말해 보세요.

안나 씨, 뭐가 하얘요?

눈이 하얘요.

마리 씨, 하얀 것이 또 뭐가 있어요?

선생님 셔츠가 하얘요.

주노 씨, 하얀 것이 또 뭐가 있어요?

어…. 잘 모르겠어요.

2) 누가 제일 많이 답을 말했어요? 그 친구에게 박수를 쳐 주세요.

2. 다음과 같이 친구와 이야기해 보세요.

어떤 일을 하고 싶어요?

저는 학생들을 가르치는 일을 하면/했으면 좋겠어요.

질문	이름:	이름:	이름:
어떤 일을 하고 싶어요?			
어디에서 일하고 싶어요?			
월급을 얼마나 받고 싶어요?			

⊕ **더 알아봐요** 앞으로 바라거나 희망하는 것을 이야기할 때는 '-(으)면 좋겠다'와 같이 '-았으면/었으면 좋겠다'를 사용할 수도 있어요.

- 주말에 여행을 갔으면 좋겠어요.
- 점심에 떡볶이를 먹었으면 좋겠어요.
- 한국어를 잘했으면 좋겠어요.

새 어휘 | 셔츠/월급

쇼핑하기

1. 재민 씨와 주노 씨가 가게에 갔어요. 다음을 잘 듣고 질문에 답하세요.

01

1) 주노 씨는 무엇을 살 거예요?

② 
③ 
④ 

2) 같으면 ○, 다르면 × 표시를 하세요.

① 주노 씨는 가벼운 신발을 좋아해요. ( )
② 하얀색 운동화는 가격이 너무 비싸요. ( )
③ 재민 씨는 빨간색이나 노란색 가방을 사고 싶어 해요. ( )

2. 지금 여러분은 어떤 물건이 필요해요? 왜 필요해요? 다음과 같이 이야기해 보세요.

요즘 날씨가 많이 추워졌어요. 그래서 겨울옷을 사고 싶어요. 색은 다 괜찮고 디자인이 단순하면 좋겠어요. 그리고 가격이 너무 비싸지 않았으면 좋겠어요.

	필요한 물건	색	모양, 디자인	가격
1)	겨울옷	다 괜찮다	단순하다	비싸지 않다
2)				
3)				
4)				

새 어휘 | 흰색/검은색/필요하다

특별한 날에 먹는 음식

1. 여러분 나라의 음식 문화를 소개하는 글을 쓸 거예요. 언제 특별한 음식을 먹어요? 그 음식은 뭐가 특별해요? 아래 내용을 간단하게 메모해 보세요.

	특별한 음식을 먹는 날	
	1) 명절 이름:	2) 명절 이름:
날짜		
음식의 이름		
그 음식을 만드는 방법		
그 음식의 맛		

2. 메모를 보고 여러분 나라에서 특별한 날에 먹는 음식을 소개하는 글을 써 보세요.

특별한 날에 먹는 음식

* 더 해 봐요
- 9과 '읽고 쓰기'의 글을 다시 읽고 써 보세요.

여행 준비

1. 그림을 보고 알맞은 것을 골라 써 보세요.

☐ 숙소를 예약해요. ☐ 날짜를 정해요. ☐ 여행지를 정해요.  맛집을 알아봐요.

☐ 비행기표를 예매해요. ☐ 돈을 바꿔요. ☐ 교통편을 정해요. ☐ 날씨를 알아봐요.

1) 

맛집을 알아봐요.

2) 

....

3) 

....

4) 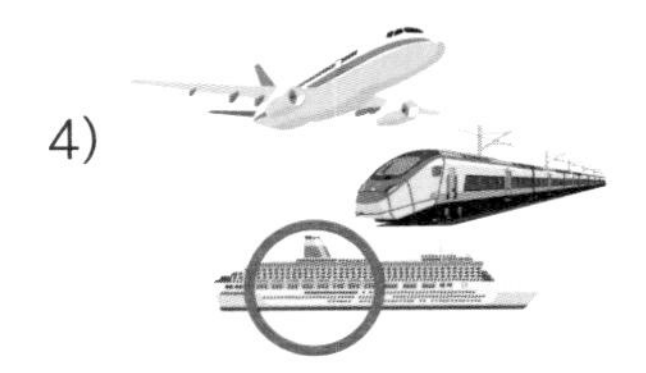

....

5) 

....

6) 

....

2. 여러분은 여행을 준비할 때 어떻게 해요? 여러분이 하는 것을 위에 나온 표현에서 골라 순서대로 써 보세요. 그리고 친구들과 비교해 보세요.

1) (　　　　　　　) → 2) (　　　　　　　) → 3) (　　　　　　　)
→ 4) (　　　　　　　) → 5) (　　　　　　　) → 6) (　　　　　　　)

3. 나중에 반 친구들과 같이 여행을 가면 어떨까요? 상상하면서 다음과 같이 친구와 여행 준비 이야기를 해 보세요.

주노 : 안나 씨, 숙소를 알아봤어요?
안나 : 네. 다 예약했어요. 유진 씨는 비행기표를 예매했어요?
유진 : 아직 안 했어요. 더 싼 표를 알아보고 있어요.

-(으)ㄴ 적이 있다 | 동안

1. 여러분이 해 본 특별한 일을 다음과 같이 써 보세요.

1) 하나는 진짜 한 일을 쓰고 하나는 거짓말을 쓰세요.

① 저는 한국에서 유명한 배우를 만난 적이 있어요.

② ________________.

③ ________________.

2) 친구들과 문장을 하나씩 읽어 보세요. 어떤 문장이 진짜일까요? 맞혀 보세요.

2. 친구와 게임을 해 보세요.

활동카드 81쪽

1) 2명이 한 팀으로 게임을 해 보세요. 동전을 던져서 앞면이 나오면 앞으로 1칸, 뒷면이 나오면 앞으로 2칸 가세요.

2) 파란색 칸에 도착하면 '동안'을, 빨간색 칸에 도착하면 '-(으)ㄴ 적이 있다'를 사용해서 질문을 만들어 보세요. 그리고 친구에게 물어보세요. 질문이 있는 곳은 그 질문을 친구에게 물어보세요.

'-(으)ㄴ 적이 있다'

시험에서 1등을 한 적이 있어요?

네. 1등을 한 적이 있어요.

3) 질문을 받은 사람은 잘 듣고 대답해 보세요. 대답을 잘하면 다음에 동전을 던져서 앞으로 갈 수 있어요. 대답을 잘 못 하면 한 번 쉬어야 돼요.

4) 누가 먼저 끝에 도착했어요? 먼저 끝까지 간 사람이 이기는 게임이에요.

새 어휘 | 동전/던지다/앞면/뒷면/1등/칸

여행 준비 조언

1. 다음은 여행 작가의 방송이에요. 다음을 잘 듣고 질문에 답하세요.

1) 이 사람은 무엇에 대해 이야기하려고 해요? (　　　　　　　　　　　　　　　　　　)

2) 이 사람은 두 가지 질문에 대답했어요. 어떻게 대답했어요? 잘 듣고 메모해 보세요.

3) 질문이 무엇이었을까요? 연결해 보세요.

① •　　　　　　　• ㉠ 교통편을 어떻게 정해요?

② •　　　　　　　• ㉡ 맛집을 어떻게 찾아요?

　　　　　　　　　• ㉢ 숙소를 어떻게 정해요?

4) 다시 한번 듣고 질문을 확인해 보세요.

2. 여행을 준비할 때 좋은 방법이 있어요? 여러분이 알고 있는 방법을 다음과 같이 이야기해 보세요.

√ 숙소 비교 홈페이지에서 많은 숙소를 비교해 볼 수 있어요 .

√ ______________________________ .

√ ______________________________ .

√ ______________________________ .

새 어휘 | 작가/분/직원/비교하다

숙소 후기

1. 안나 씨가 숙소 후기를 썼어요. 다음 글을 읽고 질문에 답하세요.

부산 호텔

위치 ★★★★★

이 호텔은 지하철역 근처에 있어서 찾기 좋았어요. 지하철역이 가까우니까 다른 곳에 가는 것도 편했어요. 그래서 부산에서 여행하는 동안 계속 이 호텔에서 묵었어요. 그리고 호텔 앞에 바다가 있어서 방에서 보는 경치가 정말 아름다웠어요.

방 ★★★★☆

방은 넓고 깨끗했어요. 짐이 많았는데 방이 넓어서 좋았어요. 하지만 조금 어두웠어요. 그런데 주변이 조용하고 침대가 편해서 잘 잤어요.

서비스 ★★★★★

직원들이 아주 친절했고 조식도 정말 맛있었어요. 이렇게 맛있는 조식을 먹어 본 적이 별로 없는 것 같아요. 아주 만족스러웠어요. 부산 여행 계획이 있으면 한번 이 호텔에 가 보세요!

1) 부산 호텔의 위치는 어땠어요?
2) 안나 씨는 방의 무엇이 마음에 안 들었어요?
3) 이 글을 왜 썼을까요?
4) 누가 이 글을 읽을까요?

2. 숙소나 식당 후기는 어떻게 쓰면 좋을까요?

√ 먼저 어디에 갔는지 장소를 쓰세요. 언제 갔는지 날짜를 쓰는 것도 좋아요.
√ '위치', '방', '서비스', '음식', '가격' 등을 나누어 쓰면 좋아요.
√ ……………………
√ ……………………

3. 여러분이 도움을 받은 숙소 후기가 있어요? 어떤 후기가 도움이 되었는지 말해 보세요.

새 어휘 | 후기/위치/묵다/조식/주변/서비스/만족스럽다

여행 경험

1. 다음은 사람들이 한국 여행을 다녀온 후 쓴 글이에요. 사진을 보고 알맞은 것을 골라 써 보세요.

□ 경치가 아름답다 □ 박물관에 가다 □ 분위기가 좋다 □ 전통 음식을 먹다 □ 구경거리가 많다
□ 음식이 입에 맞다 □ 야경을 보다 □ 기념품을 사다 □ 쉬기에 좋다 □ 멋있는 카페에 가다

1) 서울

서울에서 멋있는 카페에 갔어요.
서울은 분위기가 좋았어요.

2) 전주

전주에서 ....
전주 ....

3) 제주도

제주도에서 ....
제주도는 ....

4) 경주

경주에서 ....
경주는 ....

5) 부산

부산에서 ....
부산은 ....

2. 여러분은 어디를 여행해 봤어요? 여행에서 찍은 사진이 있어요?
친구에게 사진을 보여 주세요. 그리고 여러분의 여행 이야기를 해 보세요.

서울에서 야경을 본 적이 있는데 정말 아름다웠어요.

새 어휘 | 전주

-아/어 보다 | -(으)ㄴ

1. 여러분은 어떤 경험을 해 봤어요? 손가락 접기 게임을 해 볼까요?

1) 여러분은 한국과 관련해서 어떤 경험을 해 봤어요? 생각해 보세요.
   예) 한국 친구를 사귀어 봤어요, 비빔밥을 먹어 봤어요, 한국 노래를 들어 봤어요
2) 친구들과 모여 앉으세요. 그리고 한 손을 드세요.
3) 한 사람씩 손가락을 접으면서 여러분의 경험을 이야기해 보세요. 그리고 다른 친구들도 그 경험이 있는지 물어보세요.
4) 다른 친구의 질문을 잘 듣고 같은 경험을 한 친구는 손가락을 하나 접으세요.
5) 손가락을 모두 접은 친구는 이야기할 수 없어요.
6) 마지막으로 남은 친구가 누구예요? 그 친구는 어떤 경험을 해 봤어요?

저는 한국 친구를 사귀어 봤어요. 한국 친구를 사귀어 봤어요?

네. 저도 한국 친구를 사귀어 봤어요.

2. 다음에서 어휘를 하나씩 골라 질문을 만들고 친구와 이야기해 보세요.

작년	지난달	지난 주말	어젯밤	오늘 아침	?

보다	만나다	먹다	하다	전화하다	만들다
여행 가다	읽다	마시다	놀러 가다	듣다	?

음식	사람	곳	음료수	드라마	책
음악	운동	영화	게임	사진	?

작년에 여행 간 곳이 어디예요?

작년에 여행 간 곳은 브라질이에요.

새 어휘 | 손가락/접다/남다/놀러 가다/곳

여행 이야기

1. 마리 씨와 안나 씨가 여행 이야기를 해요. 다음을 잘 듣고 질문에 답하세요.

01

1) 안나 씨와 마리 씨는 어떤 여행지를 좋아해요?

안나	마리
√ √	√ √

2) 같으면 ○, 다르면 × 표시를 하세요.

① 안나 씨는 한국으로 여행을 다녀왔어요. ( )
② 안나 씨는 마리 씨에게 서울을 추천했어요. ( )
③ 마리 씨는 다음 주에 한국에 여행을 가려고 해요. ( )

2. 여러분이 여행한 곳이 어땠는지 ✓ 표시를 해 보세요. 그리고 점수를 모두 더해 보고 친구들과 어느 곳의 점수가 높은지 이야기해 보세요.

여행한 곳:

경치가 아름답다	1	2	3	4	5
음식이 입에 맞다	1	2	3	4	5
분위기가 좋다	1	2	3	4	5
쉬기에 좋다	1	2	3	4	5
구경거리가 많다	1	2	3	4	5
쇼핑하기에 좋다	1	2	3	4	5
사람들이 친절하다	1	2	3	4	5
?	1	2	3	4	5
총 점수					

* 가장 좋지 않아요: 1, 가장 좋아요: 5로 표시해 보세요.

새 어휘 | 딱/총/점수/표시하다

숙소나 식당 후기 쓰기

1. 여러분이 여행하면서 가 본 식당이나 숙소는 어땠어요? 아래 내용을 간단하게 메모해 보세요.

언제, 어디에 갔어요?	•
'위치', '서비스', '가격' 등은 어땠어요?	•
뭐가 좋았어요?	•
뭐가 마음에 안 들었어요?	•

2. 메모를 보고 여러분이 가 본 숙소나 식당이 어땠는지 써 보세요.

☆☆☆☆☆

☆☆☆☆☆

☆☆☆☆☆

⊕ **더 알아봐요**

- 친구들의 후기도 읽어 보세요.
- 가 보고 싶은 숙소나 식당이 있어요?

부록

듣기 지문

2A

01 저는 프로그램 만드는 일을 해요

듣고 말하기 | 1번 | 8쪽

사람들이 무슨 일을 하고 있는지 이야기해요. 다음을 잘 듣고 맞는 것을 연결해 보세요.

1) 가(남자): 무슨 일을 해요?
   나(여자): 저는 경영학을 전공하는 학생이에요.
2) 가(여자): 무슨 일을 해요?
   나(남자): 저는 빵을 만드는 일을 해요. 제빵사예요.
3) 가(남자): 직업이 뭐예요?
   나(여자): 저는 가구를 만드는 일을 해요.
4) 가(여자): 직업이 뭐예요?
   나(남자): 저는 글을 쓰는 일을 해요. 홈페이지에 글을 올리고 있어요.

듣고 말하기 | 2번 | 8쪽

잘 듣고 쓰세요.

1) 안녕하세요? 저는 마리라고 해요. 이름이 뭐예요?
2) 저는 회사에 다녀요. 전자 회사에 다녀요.
3) 민수 씨는 무슨 일을 해요?
4) 저는 민수라고 해요.
5) 아, 그래요? 저도 전자 회사에 다녀요.

위에서 들은 문장을 대화 순서대로 써 보세요. 대화를 다시 들으면서 맞는지 확인해 보세요.

마리: 안녕하세요? 저는 마리라고 해요. 이름이 뭐예요?
민수: 저는 민수라고 해요.
마리: 민수 씨는 무슨 일을 해요?
민수: 저는 회사에 다녀요. 전자 회사에 다녀요.
마리: 아, 그래요? 저도 전자 회사에 다녀요.

02 등산을 하거나 운동 모임에 가요

듣고 말하기 | 1번 | 12쪽

친구들은 주말에 무엇을 할까요? 다음을 잘 듣고 대화를 완성해 보세요.

1) 수지: 재민 씨는 주말에 친구를 만나서 뭐 해요?
   재민: 저는 친구하고 낚시를 하거나 게임을 해요.
2) 재민: 안나 씨는 주말에 뭐 해요?
   안나: 저는 보통 음악을 듣거나 악기를 연주해요.
3) 수지: 주노 씨는 주말에 집에서 뭐 해요?
   주노: 저는 만화를 그리거나 소설을 읽어요.

듣고 말하기 | 2번 | 12쪽

두 사람이 주말 계획을 이야기해요. 다음을 잘 듣고 같으면 ○, 다르면 × 표시를 하세요.

남자: 우리 주말에 산에 갈까요?
여자: 네. 좋아요. 그런데 주말에 날씨가 좋을까요?
남자: 네. 이번 주말에는 날씨가 맑을 거예요. 뉴스에서 봤어요.
여자: 와, 정말요? 그럼 같이 등산해요.
남자: 네. 언제 만날까요?
여자: 저는 토요일이나 일요일 오전이 좋아요.
남자: 그럼 일요일 오전에 만나요.

03 요즘 아침마다 회의가 있어요

듣고 말하기 | 1번 | 16쪽

인터넷 방송에서 수지 씨를 인터뷰해요. 다음을 잘 듣고 질문에 답하세요.

유튜버(남자): 안녕하세요? 여러분. 오늘 제 한국 친구를 인터뷰하려고 해요. 제 한국 친구 수지 씨예요.
수지: 안녕하세요? 여러분.
유튜버(남자): 수지 씨는 지금 대학생이지요? 많이 바빠요?
수지: 네. 날마다 수업을 듣고 과제를 해야 해서 많이 바빠요.

유튜버(남자): 힘들 때는 없어요?
수지: 음…. 시험을 못 봤을 때 힘들어요.
유튜버(남자): 그럴 때는 어떻게 해요? 더 열심히 공부해요?
수지: 아니요. 친구하고 맛있는 음식을 먹어요.
유튜버(남자)/수지: 하하하.

04 청바지에다가 티셔츠를 입으려고 해요

듣고 말하기	1번	20쪽

재민 씨와 마리 씨가 회사에서 이야기해요. 다음을 잘 듣고 같으면 ○, 다르면 × 표시를 하세요.

마리: 재민 씨, 잠깐 시간이 있어요?
재민: 네. 마리 씨, 무슨 일이에요?
마리: 제가 다음 주에 한국 출장을 가기로 했어요.
그런데 회의를 할 때 정장을 입는 것이 좋겠죠?
재민: 네. 중요한 회의에서는 보통 정장에다가 구두를 신어요.
마리: 네. 고마워요. 혹시 또 필요한 것이 있을까요?
재민: 음. 코트를 준비했어요? 지금 한국은 겨울이라서 날씨가 아주 추울 거예요.

05 거실 창문이 커서 경치를 구경하기가 좋아요

듣고 말하기	1번	24쪽

김민수 씨가 텔레비전에서 집을 소개해요. 다음을 잘 듣고 질문에 답하세요.

김민수: 여러분, 안녕하세요? 배우 김민수입니다. 오늘은 여러분께 저의 새집을 소개하겠습니다. 저는 두 달 전에 이사를 왔습니다. 이사를 하기 전에는 방이 하나 있는 집에서 살았습니다. 그런데 새집에는 방이 세 개 있습니다. 제가 이 집에서 가장 좋아하는 곳은 넓은 부엌입니다. 저는 요리하는 것을 좋아합니다. 이 집은 부엌이 넓으니까 요리하기 아주 좋습니다. 지금은 혼자 살고 있지만 빨리 결혼해서 가족과 같이 맛있는 음식을 먹고 싶습니다.

06 커피를 마시면서 음악을 들어요

듣고 말하기	1번	28쪽

마리 씨와 안나 씨가 세종학당에서 만나서 이야기해요. 다음을 잘 듣고 질문에 답하세요.

마리: 안나 씨, 우리 다음 주가 시험이죠? 시험공부는 많이 했어요?
안나: 아니요. 요즘 집에서 매일 드라마만 봤어요.
마리: 그래요? 그럼 내일 수업 끝나고 같이 공부하러 갈까요?
안나: 와, 좋아요. 마리 씨, 그럼 우리 도서관에 갈까요?
마리: 음. 세종학당 옆에 있는 카페는 어때요? 저는 매일 거기에서 공부해요.
안나: 네. 카페에 가요. 거기에서는 공부하면서 서로 질문하기 좋을 거예요.

07 스트레스를 받으면 가슴이 답답해요

듣고 말하기	1번	32쪽

재민 씨와 마리 씨가 스트레스 증상에 대해 이야기해요. 다음을 잘 듣고 질문에 답하세요.

1) 다음을 잘 듣고 알맞은 말을 찾아 써 보세요.
① 재민: 네. 열이 좀 있어요. 가슴도 답답하고 속도 좀 안 좋아요.
② 마리: 제가 뭐 좀 도와줄까요?
③ 마리: 재민 씨, 어디 아파요? 얼굴이 빨개요.
④ 재민: 네. 마리 씨, 고마워요.
⑤ 재민: 아니에요. 이 일만 끝내고 가려고요.
⑥ 마리: 요즘 스트레스를 많이 받았죠? 회의도 끝났으니까 오늘은 일찍 가서 쉬세요.

2) 순서대로 번호를 써 보세요. 그리고 다시 듣고 맞는지 확인해 보세요.
마리: 재민 씨, 어디 아파요? 얼굴이 빨개요.
재민: 네. 열이 좀 있어요. 가슴도 답답하고 속도 좀 안 좋아요.
마리: 제가 뭐 좀 도와줄까요?
재민: 아니에요. 이 일만 끝내고 가려고요.
마리: 요즘 스트레스를 많이 받았죠? 회의도 끝났으니까 오늘은 일찍 가서 쉬세요.
재민: 네. 마리 씨, 고마워요.

08 잠이 안 오면 가벼운 운동을 해 보세요

듣고 말하기	1번	36쪽

안나 씨와 주노 씨가 다른 친구들의 고민을 듣고 조언을 해요. 다음을 잘 듣고 메모해 보세요.

1) 안나: 잠이 안 오면 너무 힘들지요? 낮에 가벼운 운동을 한번 해 보세요. 몸을 많이 움직이면 밤에 피곤해서 잠이 올 거예요. 그리고 자기 전에 핸드폰이나 컴퓨터는 안 하는 것이 좋아요.
2) 주노: 이 습관을 고치고 싶으면 먼저 식사 시간을 잘 지켜야 해요. 그럼 밤에 배가 안 고플 거예요. 그래도 밤에 배가 고프면 우유를 한 잔 마셔 보세요.

듣고 말하기	2번	36쪽

다음 친구들의 고민을 잘 듣고 안나 씨와 주노 씨 중에 누구의 조언이 좋을지 이름을 써 보세요.

1) 가(여자): 저는 자꾸 밤에 배가 고파서 야식을 먹어요. 보통 빵이나 라면을 먹는데 먹을 때는 맛있지만 아침에는 속이 안 좋아요. 어떻게 이 습관을 고칠 수 있을까요?
2) 나(남자): 저는 요즘 스트레스를 많이 받아서 잠이 안 와요. 자기 전에 샤워도 하고 따뜻한 우유도 마시는데 잠이 안 와요. 그래서 항상 피곤해요. 어떻게 하면 좋을까요?

09 그럼 칼국수를 먹는 게 어때요?

문법	1번	39쪽

지금 무엇을 하는 것 같아요? 잘 듣고 다음과 같이 써 보세요.

1) (과자를 먹는 소리)
2) (비가 내리는 소리)
3) (그릇이 부딪히는 소리, 야채를 써는 소리, 국이 끓는 소리)
4) (멀리서 들리는 파티 음악 소리, 사람들의 웅성거리는 소리, 웃음 소리)

듣고 말하기	1번	40쪽

재민 씨와 마리 씨가 식당에서 같이 밥을 먹고 있어요. 다음을 잘 듣고 질문에 답하세요.

재민: 이 식당 음식들이 다 맛이 좋아요.
마리: 맞아요. 재민 씨. 반찬도 여러 가지 많이 주지요? 그런데 제가 벌써 많이 먹어서 미안해요.
재민: 괜찮아요. 마리 씨. 더 부탁할 수 있어요.
마리: 어, 괜찮을까요? 오늘 재민 씨가 계산하는 날인데 미안해요.
재민: 아니에요. 이 식당에서는 반찬을 더 먹을 때 돈을 안 내요.
마리: 와, 정말요?
재민: 네. 그냥 이렇게 부탁해요. 아주머니, 반찬 조금만 더 주세요!

10 그럼 저 까만 구두는 어때요?

듣고 말하기	1번	44쪽

재민 씨와 주노 씨가 가게에 갔어요. 다음을 잘 듣고 질문에 답하세요.

(주변 소음)
재민: 주노 씨는 가벼운 신발을 좋아하죠? 이 운동화는 어때요?
주노: 집에 비슷한 검은색 운동화가 있어요. 저는 흰색 운동화가 하나 있었으면 좋겠어요.
재민: 음. 저 운동화는 어때요?
주노: 와, 예쁘고 가격도 싸요. 저는 저거 살 거예요. 재민 씨는 필요한 물건 없어요?
재민: 저는 가방을 하나 사고 싶어요.
주노: 어떤 가방이요?
재민: 책이 많이 들어가는 큰 가방이요. 색은 빨간색이나 노란색이면 좋겠어요.

11 한국을 여행한 적이 있어요?

듣고 말하기	1번	48쪽

1) 리나(여자): 여러분 안녕하세요? 여행 작가 리나입니다. 요즘 날씨가 좋아서 사람들이 여행을 많이 하는 것 같아요. 제 이메일로 여행 준비를 물어보는 분들이 많았어요. 그래서 오늘은 여행 준비 이야기를 해 보려고 합니다.
2) 리나(여자): ('따단') 저는 맛집을 찾을 때 여행책이나 인터넷을 열심히 봐요. 그럼 맛집을 많이 알 수 있어요. 그리고 친구들이나 숙소 직원한테 맛집을 물어볼 때도 있어요. ('따단') 음. 저는 숙소를 정할 때 교통편을 먼저 생각해요. 교통이 불편하면 여행할 때 힘들어요. 그래서 지하철역이나 버스 정류장과 가까운 숙소로 정해요.
3) 리나(여자): 여러분 안녕하세요? 여행 작가 리나입니다. 요즘 날씨가 좋아서 사람들이 여행을 많이 하는 것 같아요. 제 이메일로 여행 준비를 물어보는 분들이 많았어요. 그래서 오늘은 여행 준비 이야기를 해 보려고 합니다. 자, 먼저 1번 질문입니다. ('따단') '맛집을 어떻게 찾아요?' 저는 맛집을 찾을 때 여행책이나 인터넷을 열심히 봐요. 그럼 맛집을 많이 알 수 있어요. 그리고 친구들이나 숙소 직원한테 맛집을 물어볼 때도 있어요. 다음으로 ('따단') 2번 질문. '숙소를 어떻게 정해요?' 음. 저는 숙소를 정할 때 교통편을 먼저 생각해요. 교통이 불편하면 여행할 때 힘들어요. 그래서 지하철역이나 버스 정류장과 가까운 숙소로 정해요.

12 박물관에서 도장을 만들어 봤어요

듣고 말하기	1번	52쪽

마리 씨와 안나 씨가 여행 이야기를 해요. 다음을 잘 듣고 질문에 답하세요.

마리: 안나 씨, 한국 여행 어땠어요? 재미있었죠?
안나: 네. 저는 쉬기 좋고 음식이 맛있는 곳을 좋아하는데 한국이 딱 그런 곳이었어요.
마리: 아, 정말요? 저도 다음 달에 한국에 휴가를 가려고 해요.
안나: 그래요? 마리 씨는 어떤 곳을 좋아해요?
마리: 저는 구경거리가 많고 경치가 아름다운 곳을 좋아하는데 어디에 가면 좋을까요?
안나: 그럼 부산 어때요? 바다가 아주 아름다워요.
마리: 부산요? 들어 본 적이 있어요. 좋을 것 같아요!

모범 답안

2A

01 저는 프로그램 만드는 일을 해요

어휘와 표현	1번	6쪽

1) 제빵사예요
2) 헤어 디자이너예요
3) 학생이에요
4) 프로그래머예요

어휘와 표현	2번	6쪽

[예시]

직업: 요리사

하는 일: 음식을 만들어요.

어휘와 표현	3번	6쪽

[예시]

가: 어떤 직업이 좋아요?

나: 저는 한국어 교사가 좋아요.

가: 언제부터 그 일을 하고 싶었어요?

나: 1년 전부터 한국어 교사를 하고 싶었어요.

문법	1번	7쪽

[예시]

이건 한국어로 한복이라고 해요.

문법	2번	7쪽

2) 축구를 하는 사람은 주노예요.
3) 물을 마시는 사람은 재민이에요.
4) 전화를 하는 사람은 수지예요.
5) 피자를 먹는 사람은 안나예요.
6) 춤을 추는 사람은 마리예요.

듣고 말하기	1번	8쪽

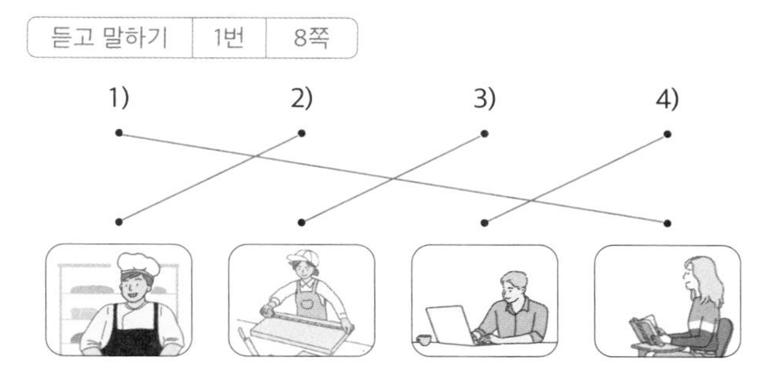

듣고 말하기	2번	8쪽

1) 저는 마리라고 해요. 이름이 뭐예요
2) 저는 회사에 다녀요. 전자 회사에 다녀요
3) 민수 씨는 무슨 일을 해요
4) 저는 민수라고 해요
5) 아, 그래요? 저도 전자 회사에 다녀요

1)	4)	3)	2)	5)

듣고 말하기	3번	8쪽

[예시]

안녕하세요? 저는 히엔이라고 해요. 저는 베트남어를 가르치는 선생님이에요. 만나서 반가워요.

읽고 쓰기	1번	9쪽

[예시]

'kamus'를 한국어로 뭐라고 해요?

읽고 쓰기	2번	9쪽

2) 안나는 대학생이에요
3) 안나가 좋아하는 음식은 떡볶이예요

4) 안나는 한국 배우를 좋아해서 한국어를 배워요
5) 안나가 좋아하는 배우는 이민우예요
6) 안나는 이번 방학에 한국에 갈 거예요

 등산을 하거나 운동 모임에 가요

어휘와 표현 | 1번 | 10쪽

[예시]
하고 싶은 일: 여행을 가고 싶어요.
해야 하는 일: 숙제를 해야 해요.

문법 | 1번 | 11쪽

[예시]
1) 집에서 청소를 하거나 텔레비전을 봐요
2) 보통 점심에 김밥이나 라면을 먹어요
3) 지하철역이나 영화관 앞에서 만나요
4) 영화를 보거나 밥을 먹어요

문법 | 2번 | 11쪽

[예시]
1) 가: 볼까요
   나: 오전 11시에 만나서 점심을 먹어요
2) 가: 먹을까요
   나: 불고기를 먹어요
3) 가: 할까요
   나: 쇼핑을 해요
4) 가: 쇼핑을 하고 뭐 할까요
   나: 쇼핑을 하고 카페에서 커피를 마셔요

듣고 말하기 | 1번 | 12쪽

1) 낚시를 하거나, 해요
2) 듣거나, 연주해요
3) 그리거나 소설

듣고 말하기 | 2번 | 12쪽

1) ×
2) ○
3) ○

듣고 말하기 | 3번 | 12쪽

[예시]
1)

음식을 만들어요	악기를 연주해요	소설을 읽어요	유튜브를 봐요
스포츠 경기를 봐요	배드민턴을 쳐요	풍경 사진을 찍어요	산책을 해요

2)

이름	무슨 취미가 같아요?	언제 만날 거예요?	어디에서 할 거예요?
히엔	음식 만드는 취미가 같아요.	수요일에 만날 거예요.	히엔 씨 집에서 만들 거예요.
마리	스포츠 경기를 보는 취미가 같아요.	금요일 오후에 만날 거예요.	우리 집에서 경기를 볼 거예요.

3) 저하고 히엔 씨는 음식 만드는 것을 좋아해요. 그래서 수요일에 히엔 씨 집에서 만나서 음식을 만들 거예요.

읽고 쓰기 | 1번 | 13쪽

[예시]

나의 직업	베트남어 선생님
한국어를 배우는 이유	한국에서 베트남어 선생님을 하고 싶어요.
취미	음식을 만들어요.

읽고 쓰기 | 2번 | 13쪽

[예시]
안녕하세요?
저는 히엔이라고 해요. 저는 베트남어 선생님이에요. 저는 학교에서 베트남어를 가르치고 있어요.
저는 작년부터 한국어를 배웠어요. 한국에서 베트남어 선생님을 하고 싶어서 한국어를 열심히 공부하고 있어요.
제 취미는 음식을 만드는 것이에요. 그래서 한국 음식을 만드는 것도 배우고 싶어요. 제가 좋아하는 한국 음식은 불고기예요.
감사합니다.

03 요즘 아침마다 회의가 있어요

어휘와 표현 | 1번 | 14쪽

[예시]

	예시	나
1) 어떤 일을 자주 해요?	동아리 활동	음식을 만드는 것
2) 보통 언제 해요?	매주 수요일	주말
3) 누구하고 같이 해요?	동아리 친구들	친구
4) 왜 그 일을 자주 해요?	영화를 좋아해서	음식을 만드는 것을 좋아해서

저는 주말마다 세종학당 친구들을 만나요. 만나서 같이 음식을 만들고 이야기를 해요. 음식을 만드는 것을 좋아해서 친구들을 자주 초대해요. 저는 친구들과 맛있는 음식을 먹고 이야기하는 것을 좋아해요.

어휘와 표현 | 2번 | 14쪽

[예시]

1)

이름: 시온	나이: 23살	직업: 가수
이름: 히엔	나이: 25살	직업: 베트남어 선생님

2)

안녕하세요. 저는 히엔이에요. 25살이고 베트남어 선생님이에요. 저는 요즘 한국어를 공부하고 있어요. 그래서 매일 밤 10시쯤 자고 6시쯤에 일어나요. 일어나서 샤워를 하고 커피를 한 잔 마셔요. 그리고 7시에 출근하고 오후 5시에 퇴근해요. 퇴근한 후에는 세종학당에서 한국어를 공부해요.

문법 | 1번 | 15쪽

[예시]

저는 저녁마다 샤워를 해요.

저는 날마다 운동해요.

저는 휴일마다 음식을 만들어요.

저는 주말마다 고향에 가요.

문법 | 2번 | 15쪽

[예시]

저는 비가 많이 올 때마다 집에서 책을 읽어요.

저는 약속 시간에 늦을 때마다 택시를 타요.

저는 돈이 없을 때마다 집까지 걸어서 가요.

저는 슬플 때마다 음악을 들어요.

문법 | 3번 | 15쪽

[예시]

	친구가 하는 일	언제 해요?
1)	커피를 마셔요.	출근할 때
2)	자전거를 타요.	퇴근할 때
3)	청소를 해요.	집에서 쉴 때
4)	요리를 해요.	시간이 있을 때

2)

가: 자전거를 타요?

나: 네. 자전거를 타요.

가: 언제 자전거를 타요?

나: 퇴근할 때 자전거를 타요.

듣고 말하기 | 1번 | 16쪽

1) 수지 씨는 대학생이에요.

2) 수지 씨는 매일 수업을 듣고 과제를 해요.

3) 수지 씨는 시험을 못 봤을 때 힘들어요.

듣고 말하기 | 2번 | 16쪽

재민: 히엔 씨는 일이 많지만 놀고 싶을 때 어떻게 해요?

히엔: 일을 빨리 끝내고 놀아요.

상황	이름	방법
일이 많지만 놀고 싶다	히엔	일을 빨리 끝내고 놀아요.

읽고 쓰기 | 1번 | 17쪽

1) 소피 씨가 이 편지를 썼어요.

2) 소피 씨는 세 달 전에 서울에 갔어요. / 소피 씨는 4월에 서울에 갔어요.

3) 소피 씨는 주말마다 맛있는 음식을 먹고 쇼핑하는 것이 정말 재미있어요. 그리고 좋은 친구들도 많이 있어서 한국 생활이 즐거워요.

읽고 쓰기 | 2번 | 17쪽

[예시]

요즘 어떻게 지내는지 이야기해요.

하고 싶은 이야기를 해요.

04  청바지에다가 티셔츠를 입으려고 해요

어휘와 표현 | 2번 | 18쪽

3) [예시]

유진 씨는 지금 티셔츠에다가 바지를 입고 운동화를 신고 있어요.

문법	1번	19쪽

[예시]
1) 피자에다가 콜라를
2) 커피나 홍차에다가 설탕을
3) 밥에다가 채소를

문법	2번	19쪽

[예시]
1)

	언제 해요?	어디에서 해요?	누구와 해요?	무엇을 해요?
1)	오늘 저녁	식당	마리 씨	같이 식사하고 산책해요.
2)	이번 일요일	히엔 씨 집	히엔 씨	같이 음식을 만들고 먹어요.
3)	올해	세종학당	안나 씨	같이 한국어를 공부해요.
4)	내년	한국	유진 씨	같이 여행을 해요.
5)	다음 주 토요일	공원	재민 씨	같이 자전거를 타요.

2) 저는 이번 일요일에 히엔 씨 집에서 히엔 씨를 만나기로 했어요. 같이 음식을 만든 후에 먹기로 했어요.

듣고 말하기	1번	20쪽

1) ×
2) ○
3) ×

듣고 말하기	2번	20쪽

[예시]
가: 대학교에 갈 때 어떤 옷을 입어요?
나: 보통 여자하고 남자 모두 티셔츠에다가 청바지를 입고 운동화를 신어요.

읽고 쓰기	1번	21쪽

[예시]

시작 인사를 해요.	안녕하세요?
친구가 잘 지내는지 질문해요.	오랜만이에요. 안나 씨, 잘 지내요?
내가 요즘 하는 일을 이야기해요.	저는 지금 세종학당에서 한국어를 공부하고 있어요. 한국어가 조금 어렵지만 재미있어요. 방학 때는 한국을 여행하고 싶어요. 안나 씨도 꼭 만나고 싶어요.
끝인사를 해요.	그럼 잘 지내요.

읽고 쓰기	2번	21쪽

[예시]
제목: 저 소피예요!
받는 사람: 안나 씨에게
시작 인사: 안녕하세요? 오랜만이에요. 안나 씨, 잘 지내요?
하고 싶은 말:
저는 지금 세종학당에서 한국어를 공부하고 있어요. 한국어는 조금 어렵지만 재미있어요.
저는 요즘 아르바이트에다가 한국어 공부도 해야 해서 아주 바빠요. 그리고 이번 방학 때는 마리 씨하고 한국을 여행하기로 했어요. 저는 한국을 여행할 때 한국 사람과 한국어로 이야기하고 싶어요. 그래서 열심히 한국어를 공부하고 있어요.
안나 씨, 우리 같이 한국 여행을 갈까요? 어때요? 마리 씨도 안나 씨하고 같이 여행을 하고 싶어 해요.

끝인사: 그럼 꼭 연락 주세요.
보내는 사람: 소피가.

05 거실 창문이 커서 경치를 구경하기가 좋아요

어휘와 표현	1번	22쪽

[예시]
가: 집이 어때요?
나: 집이 밝고 넓어요.

어휘와 표현	2번	22쪽

저는 (가)에서 살고 싶어요. 어두운 방을 좋아하지 않아서요. 조금 지저분하지만 밝아서 좋아요.

문법	1번	23쪽

1) 읽기 좋아요
2) 살기 좋아요
3) 먹기 안 좋아요
4) 산책하기 좋아요

문법	2번	23쪽

[예시]

누가	하지 않아요.	하지 못해요.
나	생선을 먹지 않아요.	우유를 마시지 못해요.
친구 1	운동을 하지 않아요.	프랑스어를 하지 못해요.
친구 2	요리를 하지 않아요.	잠을 많이 자지 못해요.

저는 생선을 안 좋아해요. 그래서 생선을 먹지 않아요.
저는 배가 자주 아파요. 그래서 우유를 마시지 못해요.

듣고 말하기	1번	24쪽

1) 김민수 씨는 이 집에 두 달 전에 이사를 왔어요.
2)
① ○
② ×
③ ×

듣고 말하기	2번	24쪽

[예시]
저는 텔레비전에서 유명한 가수의 집을 봤어요. 아주 넓고 깨끗한 아파트였어요. 아파트에 넓은 도서관과 헬스클럽이 있었어요. 도서관에는 재미있는 책이 많았어요. 저도 그런 집에서 살고 싶어요.

읽고 쓰기	1번	25쪽

1) 이 사람은 지금 학교 근처 원룸에서 혼자 살고 있어요.
2) ③

읽고 쓰기	2번	25쪽

[예시]
누구와 사는지 써요
집 주변에 뭐가 있는지 써요

 커피를 마시면서 음악을 들어요

어휘와 표현	1번	26쪽

[예시]

놓여 있어요	걸려 있어요
소파	옷
쿠션	시계
화분	텔레비전

소파 위에 쿠션이 놓여 있어요. 벽에 시계가 걸려 있어요.
테이블 위에 화분이 놓여 있어요. 벽에 텔레비전이 걸려 있어요.

어휘와 표현	2번	26쪽

집 거실에 테이블이 놓여 있어요. 그리고 벽에 포스터가 걸려 있어요.

문법	1번	27쪽

[예시 1]
가: 저기 울면서 강아지를 찾는 사람 알아요? 누구예요?
나: 아, 저 사람은 수지 씨예요.
[예시 2]
가: 저기 빵을 먹으면서 음악을 듣는 사람 알아요? 누구예요?
나: 아, 저 사람은 주노 씨예요.
[예시 3]
가: 저기 신문을 읽으면서 커피를 마시는 사람 알아요? 누구예요?
나: 아, 저 사람은 미나 씨예요.
[예시 4]
가: 저기 걸으면서 옷 가게 쇼윈도를 구경하는 사람 알아요? 누구예요?
나: 아, 저 사람은 재민 씨예요.
[예시 5]
가: 저기 문자 하면서 버스를 기다리는 사람 알아요? 누구예요?
나: 아, 저 사람은 케빈 씨예요.
[예시 6]
가: 저기 이야기하면서 걷는 사람 알아요? 누구예요?
나: 아, 저 사람은 안나 씨하고 마리 씨예요.

문법	2번	27쪽

[예시]

이름	내가 아는 것	맞아요/아니에요
안나	영어를 잘해요.	맞아요.
히엔	베트남 사람이에요.	맞아요.

가: 히엔 씨는 베트남 사람이지요?
나: 네. 맞아요.

듣고 말하기	1번	28쪽

1) 두 사람은 내일 카페에서 공부할 거예요.
2)
① ○
② ×
③ ○

듣고 말하기 | 2번 | 28쪽

[예시]

1)

장소	학교 도서관
거기에서 하는 일	소설을 읽거나 공부를 해요.
자주 가는 이유	조용하고 재미있는 소설이 많아요.

2)

가 보고 싶은 장소	이유
• 한국 식당 • •	• 한국 음식을 먹고 싶어서 • •

읽고 쓰기 | 1번 | 29쪽

[예시]

어디에 살아요?	☑ 아파트 □ 주택 □ 원룸 □ ....
집이 어때요?	☑ 깨끗하다 □ 지저분하다 ☑ 넓다 □ 좁다 ☑ 밝다 □ 어둡다 □ .... □ ....
집에 뭐가 있어요?	테이블, 쿠션, 텔레비전, 침대, 책상, 의자
뭐가 마음에 들어요?	집이 넓고 밝아서 마음에 들어요.
뭐가 마음에 안 들어요?	주차장이 좁아서 마음에 안 들어요.
집 주변에 뭐가 있어요?	집 주변에 백화점이 있어서 쇼핑하기 좋아요.

읽고 쓰기 | 2번 | 29쪽

[예시]

제목: 안녕하세요?

안녕하세요? 저는 언니와 같이 아파트에 살고 있는 회사원입니다. 제가 살고 있는 아파트는 깨끗하고 넓습니다. 그리고 밝습니다. 제 방에는 침대와 책상, 의자가 있습니다. 이 아파트는 넓고 밝아서 마음에 듭니다. 하지만 주차장이 좁아서 주차하기 안 좋습니다. 집 주변에는 백화점이 있습니다. 그래서 쇼핑하기가 좋습니다. 저는 주말마다 언니하고 쇼핑을 합니다. 저는 이 집에서 언니와 함께 사는 것이 아주 행복합니다.

 07 스트레스를 받으면 가슴이 답답해요

어휘와 표현 | 1번 | 30쪽

2) 가슴이 답답해요.

3) 얼굴에 뭐가 났어요.

4) 머리가 복잡해요.

5) 잠이 안 와요.

6) 속이 안 좋아요.

문법 | 1번 | 31쪽

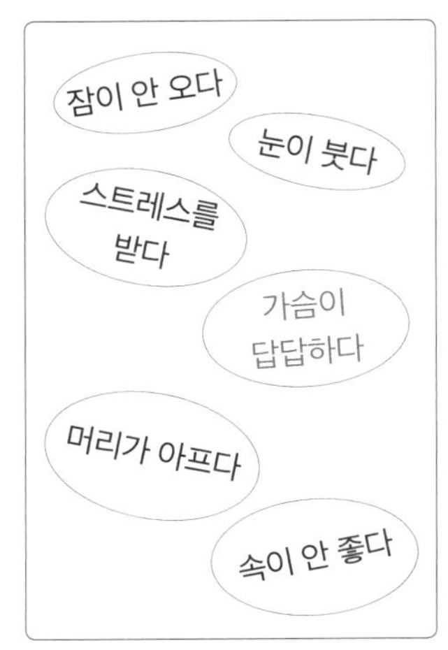

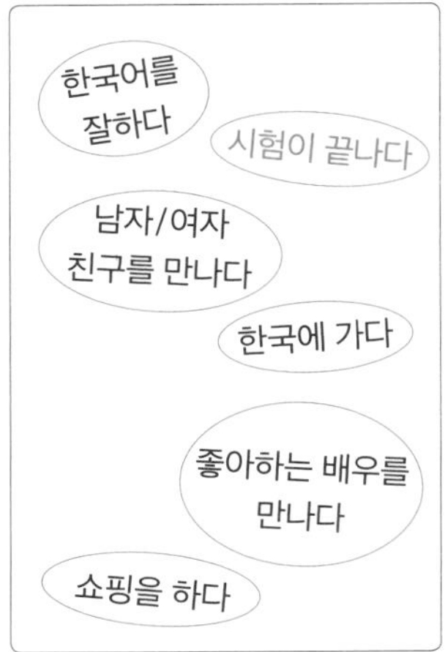

[예시 1]

가: 머리가 아프면 어떻게 해요?

나: 머리가 아프면 약을 먹고 잠을 자요.

[예시 2]

가: 좋아하는 배우를 만나면 뭐 하고 싶어요?

나: 좋아하는 배우를 만나면 같이 사진을 찍고 싶어요.

문법 | 1번 | 31쪽

[예시]

가: 돈이 많으면 뭐 할 거예요?

나: 돈이 많으면 차를 살 거예요.

가: 차를 사면 뭐 할 거예요?

나: 차를 사면 여행을 갈 거예요.

듣고 말하기 | 1번 | 32쪽

1)

① 열이 좀 있어요, 속도 좀 안 좋아요

② 도와줄까요
③ 어디 아파요, 빨개요
⑥ 스트레스를 많이 받았죠
2)
(③)→(①)→(②)→(⑤)→(⑥)→(④)

듣고 말하기	2번	32쪽

[예시]

	언제 몸이 안 좋았어요?	왜 스트레스를 받았어요?	그때 어떻게 했어요?
나	시험공부를 할 때	시험공부가 어려워서	쉬었어요.

가: 언제 몸이 안 좋았어요?
나: 시험공부를 할 때 몸이 안 좋았어요.
가: 왜 스트레스를 받았어요?
나: 시험공부가 어려워서 스트레스를 받았어요.
가: 그때 어떻게 했어요?
나: 쉬었어요.

읽고 쓰기	1번	33쪽

1) 유진 씨는 시험을 준비하는 것이 힘들어서 스트레스를 받았어요.
2) 유진 씨는 스트레스를 받으면 가슴이 답답하고 잠이 안 와요.
3) 스트레스를 받지 않는 방법을 묻고 싶어서 썼어요.

읽고 쓰기	2번	33쪽

고민이 있으면 몸이 어떤지 써요
무슨 조언을 듣고 싶은지 써요

읽고 쓰기	3번	33쪽

[예시]

스트레스 받는 일	회사 일이 많아요.
증상	머리가 복잡하고 가슴이 답답해요.

08 잠이 안 오면 가벼운 운동을 해 보세요

어휘와 표현	1번	34쪽

아침을 꼭 먹어요.
일찍 자고 일찍 일어나요.
손을 잘 씻어요.
한숨을 쉬어요.
야식을 먹어요.
가벼운 운동을 해요.
음식을 많이 먹어요.
컴퓨터를 오래 해요.
물을 자주 마셔요.
늦게 자고 늦게 일어나요.
텔레비전을 오래 봐요.
커피를 많이 마셔요.

[예시]

★ 빙고 게임 ★

커피를 많이 마셔요.	아침을 꼭 먹어요.	손을 잘 씻어요.
야식을 먹어요.	음식을 많이 먹어요.	가벼운 운동을 해요.
텔레비전을 오래 봐요.	물을 자주 마셔요.	한숨을 쉬어요.

어휘와 표현	2번	34쪽

[예시]
책을 많이 읽어요.
계획을 세워요.

문법	1번	35쪽

[예시]
2) 옷을 사고 싶어요.
옷을 사고 싶은데 쇼핑할까요?
3) 이 소설책을 읽었어요.
이 소설책을 읽었는데 재미있었어요.
4) 어제 영화를 봤어요.
어제 영화를 봤는데 무서웠어요.
5) 한국어를 잘 몰라요.
한국어를 잘 모르는데 도와줄 수 있어요?

문법	2번	35쪽

2) [예시]
저는 한국어 말하기를 잘해요.
한국어 말하기를 잘하고 싶으면 케이팝(K-POP)을 들으면서 연습해 보세요.
제가 자주 듣는 케이팝은 유새이 노래예요.

듣고 말하기 | 1번 | 36쪽

1) 잠이 안 오면 낮에 가벼운 운동을 한번 해 보세요. 그리고 자기 전에 핸드폰이나 컴퓨터는 안 하는 것이 좋아요.
2) 식사 시간을 잘 지켜야 해요. 그래도 밤에 배가 고프면 우유를 한 잔 마셔 보세요.

듣고 말하기 | 2번 | 36쪽

1) 주노
2) 안나

듣고 말하기 | 3번 | 36쪽

[예시]
1) 일찍 자고 일찍 일어나 보세요. 야식을 먹지 않고 아침을 잘 먹는 것이 좋아요. 그럼 점심, 저녁도 시간마다 잘 먹을 수 있어서 밤에 배가 안 고플 거예요.
2) 저녁에 공원을 산책해 보세요. 그럼 잠이 잘 올 거예요.

읽고 쓰기 | 2번 | 37쪽

[예시]
나의 고민: 회사 일이 너무 많아서 머리가 복잡하고 가슴이 답답해요. 스트레스를 많이 받는데 스트레스를 풀 수 있는 좋은 방법이 있을까요?
Re: 취미 활동을 해 보세요.
Re: 머리가 복잡할 때는 산책을 해 보세요. 그럼 기분이 좋을 거예요.
Re: 친구와 이야기해 보세요. 스트레스를 풀 수 있을 거예요.

09 그럼 칼국수를 먹는 게 어때요?

어휘와 표현 | 1번 | 38쪽

1) ⑧ 2) ⑦ 3) ③ 4) ⑤
5) ④ 6) ① 7) ⑥ 8) ②

어휘와 표현 | 2번 | 38쪽

[예시]

이 음식은 스파게티예요. 저는 스파게티가 너무 맛있어서 일주일에 한 번은 꼭 세종학당 앞에 있는 스파게티 식당에 가요. 정말 맛있으니까 여러분도 한번 먹어 보세요.

문법 | 1번 | 39쪽

2) 과자를 먹는 것 같아요
3) 음식을 만드는 것 같아요/요리를 하는 것 같아요
4) 파티를 하는 것 같아요

문법 | 2번 | 39쪽

[예시]
1) 그 사람은 뭘 좋아해요?
음악
2) 그 사람은 어떤 음식을 좋아해요?
한국 음식
3) 또 뭘 하면 좋을까요?
영화를 보다

가: 내일 좋아하는 친구를 만날 거예요. 뭘 하는 게 좋을까요?
나: 그 사람은 뭘 좋아해요?
가: 음악을 좋아해요.
나: 그럼 같이 콘서트에 가는 게 어때요?
가: 좋아요. 식사도 하려고 하는데 뭐가 좋을까요? 그 사람은 한국 음식을 좋아해요.
나: 그럼 불고기를 먹는 게 어때요?
가: 좋아요. 또 뭘 하면 좋을까요?
나: 영화를 보는 게 어때요?

듣고 말하기 | 1번 | 40쪽

1) ④
2) 반찬 조금만 더 주세요

듣고 말하기 | 2번 | 40쪽

[예시]
1)
인사해요.
손님: 맛있게 잘 먹었습니다.
점원: 감사합니다. 또 오세요.
2)
손님 1: 메뉴 좀 주세요.
점원: 네. 여기 있습니다.
손님 1: 뭐가 맛있을까요?
손님 2: 갈비탕을 먹는 게 어때요?
점원: 주문하시겠어요?
손님 1: 네. 갈비탕하고 된장찌개 주세요.
손님 2: 여기요! 반찬 좀 더 주세요.
점원: 네. 잠시만요.
손님 2: 얼마예요?
점원: 만 오천 원입니다.
손님 2: 여기 있습니다.
점원: 감사합니다. 또 오세요.

읽고 쓰기 | 1번 | 41쪽

1)
① 미역국 • — • 생일
② 송편 • — • 추석
③ 떡국 • — • 설날

2)
① ○
② ×

읽고 쓰기 | 2번 | 41쪽

[예시]
특별한 음식의 먹는 방법/특별한 음식의 의미

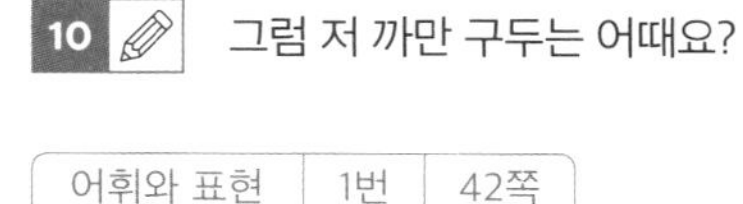

10 그럼 저 까만 구두는 어때요?

어휘와 표현 | 1번 | 42쪽

[예시]
2) 이 가방은 크고 까매요.
3) 이 필통은 빨갛고 디자인이 단순해요.

어휘와 표현 | 2번 | 42쪽

2. [예시]
한국에서는 다른 사람의 결혼식에 갈 때 남자는 정장을 입어요.
그리고 여자는 하얀색 옷을 입지 않아요.

문법 | 1번 | 43쪽

1) [예시]
가: 안나 씨, 뭐가 까매요?
나: 머리가 까매요.
가: 마리 씨, 까만 것이 또 뭐가 있어요?
나: 유진 씨 티셔츠가 까매요.
가: 주노 씨, 까만 것이 또 뭐가 있어요?
나: 마리 씨 가방이 까매요.

문법 | 2번 | 43쪽

[예시]

질문	이름: 히엔	이름:	이름:
어떤 일을 하고 싶어요?	학생들을 가르치는 일		
어디에서 일하고 싶어요?	베트남		
월급을 얼마나 받고 싶어요?	천만 동		
하루에 몇 시간 일하고 싶어요?	8시간		

가: 어떤 일을 하고 싶어요?
나: 저는 학생들을 가르치는 일을 하면 좋겠어요.
가: 어디에서 일하고 싶어요?
나: 베트남에서 일하고 싶어요.
가: 월급을 얼마나 받고 싶어요?
나: 천만 동 받고 싶어요.
가: 하루에 몇 시간 일하고 싶어요?
나: 여덟 시간 일하고 싶어요.

듣고 말하기 | 1번 | 43쪽

1) ①
2)
① ○
② ×
③ ○

듣고 말하기 | 2번 | 45쪽

[예시]

	필요한 물건	색	모양, 디자인	가격
1)	겨울옷	다 괜찮다	단순하다	비싸지 않다
2)	스카프	까만색	재미있다	적당하다

2) 내일이 친구 생일이에요. 그래서 친구 선물로 스카프를 사고 싶어요. 색은 까만색이고 디자인이 재미있으면 좋겠어요. 그리고 가격이 적당하면 좋겠어요.

읽고 쓰기 | 1번 | 45쪽

[예시]

	특별한 음식을 먹는 날	
	1) 명절 이름: 춘제(춘절)	2) 명절 이름: 칭밍제(청명절)
날짜	음력 1월 1일	음력 2월이나 3월쯤
음식의 이름	자오쯔	칭퇀
그 음식을 만드는 방법	고기를 넣어서 만들어요.	팥을 넣어서 만들어요.
그 음식의 맛	맵지 않아요.	달고 맛있어요.
비슷한 한국 음식	한국 만두하고 비슷해요.	한국 송편하고 비슷해요.

읽고 쓰기	2번	45쪽

[예시]

중국 사람들은 명절에 특별한 음식을 먹습니다. 음력 1월 1일은 춘제(춘절)입니다. 사람들은 춘제(춘절) 때 자오쯔를 먹습니다. 자오쯔는 한국의 만두와 비슷합니다. 자오쯔는 고기를 넣어서 만드는데 맵지 않고 맛있습니다. 그리고 음력 2월이나 3월쯤에는 칭밍제(청명절)가 있습니다. 칭밍제(청명절) 때는 보통 3일쯤 쉽니다. 강남에서는 칭밍제(청명절) 때 보통 칭탄을 먹습니다. 칭탄은 한국의 송편하고 비슷합니다. 작은 떡인데 안에는 팥을 넣어서 만듭니다. 칭탄은 아주 달고 맛있습니다.

 한국을 여행한 적이 있어요?

어휘와 표현	1번	46쪽

2) 숙소를 예약해요.
3) 날짜를 정해요.
4) 교통편을 정해요.
5) 비행기표를 예매해요.
6) 날씨를 알아봐요.

어휘와 표현	2번	46쪽

[예시]

1) (여행지를 정해요.) → 2) (날짜를 정해요.)
→ 3) (교통편을 정해요.) → 4) (날씨를 알아봐요.)
→ 5) (숙소를 예약해요.) → 6) (돈을 바꿔요.)

어휘와 표현	3번	46쪽

주노: 안나 씨, 비행기표를 예매했어요?
안나: 네. 다 예매했어요. 유진 씨는 맛집을 알아봤어요?
유진: 아직 안 했어요. 날씨를 알아보고 있어요.

문법	1번	47쪽

1) [예시]
② 저는 한국을 여행한 적이 있어요
③ 저는 번지 점프를 한 적이 있어요

듣고 말하기	1번	48쪽

1) 이 사람은 여행 준비 이야기를 하려고 해요.
2)
① 맛집을 찾을 때 여행책이나 인터넷을 열심히 봐요. 그리고 친구들이나 숙소 직원한테 맛집을 물어볼 때도 있어요.
② 숙소를 정할 때 교통편을 먼저 생각해요. 그래서 지하철역이나 버스 정류장과 가까운 숙소로 정해요.

3)
① • ─ • ㉡ 맛집을 어떻게 찾아요?
② • ─ • ㉢ 숙소를 어떻게 정해요?
(• ㉠ 교통편을 어떻게 정해요?)

듣고 말하기	2번	48쪽

[예시]
여행을 간 적이 있는 친구에게 물어봐요.
여행책을 많이 읽어요.
인터넷의 여행 후기 글을 많이 읽어요.

읽고 쓰기	1번	49쪽

1) 부산 호텔은 지하철역 근처에 있어서 찾기 좋았어요.
2) 안나 씨는 방이 조금 어두워서 마음에 안 들었어요.
3) 부산 호텔을 예약하고 싶어 하는 사람들을 도와주고 싶어서 이 글을 썼어요./부산에 있는 좋은 호텔을 찾는 사람에게 도움을 주려고 이 글을 썼어요.
4) 부산 호텔을 예약하고 싶은 사람이 이 글을 읽어요./부산의 좋은 호텔을 찾는 사람이 이 글을 읽을 수 있어요.

읽고 쓰기	2번	49쪽

[예시]
마음에 드는 것과 마음에 안 드는 것을 쓰면 좋아요.
추천하는 이유를 쓰면 좋아요.

읽고 쓰기	3번	49쪽

[예시]
좋은 것과 안 좋은 것을 모두 쓴 후기가 도움이 되었어요.

12 박물관에서 도장을 만들어 봤어요

어휘와 표현	1번	50쪽

2) 전통 음식을 먹었어요
음식이 입에 맞았어요
3) 기념품을 샀어요
경치가 아름다웠어요
4) 박물관에 갔어요
구경거리가 많았어요
5) 야경을 봤어요
쉬기에 좋았어요

어휘와 표현 | 2번 | 50쪽

[예시]

서울 신당동에서 떡볶이를 먹은 적이 있는데 정말 맛있었어요.

문법 | 2번 | 51쪽

[예시]

가: 작년에 여행 간 곳이 어디예요?

나: 작년에 여행 간 곳은 한국이에요.

가: 지난달에 만난 사람은 누구예요?

나: 지난달에 만난 사람은 안나 씨예요.

듣고 말하기 | 1번 | 52쪽

1)

안나	마리
√ 쉬기 좋은 여행지 √ 음식이 맛있는 여행지	√ 구경거리가 많은 여행지 √ 경치가 아름다운 여행지

2)

① ○

② ×

③ ×

듣고 말하기 | 2번 | 52쪽

[예시]

여행한 곳: 부산

경치가 아름답다	1	2	3	4	5✓
음식이 입에 맞다	1	2	3	4✓	5
분위기가 좋다	1	2	3	4	5✓
쉬기에 좋다	1	2	3	4✓	5
구경거리가 많다	1	2	3	4	5✓
쇼핑하기에 좋다	1	2	3✓	4	5
사람들이 친절하다	1	2	3	4✓	5
교통이 편리하다	1	2	3	4	5✓
총 점수(40점 기준)	35점				

읽고 쓰기 | 1번 | 53쪽

[예시]

언제, 어디에 갔어요?	• 작년 여름에 세종 호텔에 갔어요.
'위치', '서비스', '가격' 등은 어땠어요?	• 지하철역에서 조금 멀었어요. • 직원들이 친절했어요. • 가격이 적당했어요.
뭐가 좋았어요?	• 방이 조용하고 깨끗해서 좋았어요.
뭐가 마음에 안 들었어요?	• 지하철역에서 조금 멀고 방이 어두워서 마음에 안 들었어요.

읽고 쓰기 | 2번 | 53쪽

[예시]

세종 호텔

위치 ★★★☆☆

이 호텔은 지하철역에서 조금 멀어서 찾기 어려웠어요. 지하철역에서 조금 멀어서 다른 곳에 가는 것도 불편했어요. 하지만 호텔이 지하철역에서 조금 멀어서 조용했어요.

방 ★★★★☆

이 호텔은 방이 조용해서 쉬기에 좋았어요. 그리고 깨끗했어요. 그런데 방이 조금 어두웠어요.

서비스 ★★★★★

직원들이 아주 친절했고 가격도 적당했어요. 이렇게 친절한 호텔 직원들을 본 적이 없어요. 서울 여행 계획이 있으면 세종 호텔에 가 보세요!

어휘와 표현 색인

2A

자료 출처

2A

※ 이 교재는 산돌폰트 외 Ryu 고운한글돋움OTF, Ryu 고운한글바탕OTF 등을 사용하여 제작되었습니다. Ryu 고운한글돋움OTF, Ryu 고운한글바탕OTF 서체는 서체 디자이너 류양희 님에게서 제공 받았습니다.

※ 강승희, 곽명주, 박가을, 이재영, 정원교 작가와 함께 작업했습니다.

| 게티이미지코리아 |

3과 17쪽_1번 (위로부터)② 5과 22쪽_1번 2); 23쪽_2번 좌② 12과 50쪽_1번 1)/2)/4)좌, 2번 (위로부터)③

| 셔터스톡 |

스피커 아이콘

말풍선

문서 아이콘

연필 아이콘

1과 6쪽; 7쪽_1번; 8쪽_1번 3); 9쪽 2과 11쪽; 12쪽; 13쪽 3과 14쪽; 16쪽; 17쪽_1번 (위로부터)①/③ 4과 19쪽; 20쪽; 21쪽 5과 22쪽_1번 1)/3)/4)/5)/6), 2번 (가)/(나); 23쪽_2번 좌①/우; 24쪽; 25쪽 6과 26쪽; 28쪽; 29쪽 7과 30쪽_1번; 31쪽; 33쪽 9과 38쪽; 41쪽 10과 42쪽; 43쪽_1번 상; 44쪽; 45쪽 11과 46쪽_1번 1)/3)/4)/5)/6), 3번; 47쪽; 48쪽; 49쪽 12과 50쪽_1번 3)/4)우/5)/지도, 2번 (위로부터)①; 53쪽 부록 55쪽; 72쪽; 83쪽 활동 카드 73쪽_(물결 모양, 좌로부터)①/③/④/⑦/⑧/⑨/⑩/⑫/⑬/⑭/⑮/⑯/⑱/⑳; 77쪽; 79쪽

메모

활동카드

어휘와 표현 | 1번 | 10쪽

활동카드

문법 | 1번 | 27쪽

A

유진 : 웃다 / 전화하다
① ______ : 울다 / 강아지를 찾다
② ______ : 빵을 먹다 / 음악을 듣다
③ ______ : 신문을 읽다 / 커피를 마시다
재민 : 걸으면서 옷을 구경하는 사람
케빈 : 문자 하면서 버스를 기다리는 사람
안나 / 마리 : 이야기하면서 걷는 사람

저기 웃으면서 전화하는 사람 알아요? 누구예요?

아, 저 사람은 유진 씨예요.

B

유진 : 웃으면서 전화하는 사람
수지 : 울면서 강아지를 찾고 있는 사람
주노 : 빵을 먹으면서 음악을 듣는 사람
미나 : 신문을 읽으면서 커피를 마시는 사람
④ ______ : 걷다 / 옷을 구경하다
⑤ ______ : 문자를 하다 / 버스를 기다리다
⑥ ______ / ⑦ ______ : 이야기하다 / 걷다

저기 웃으면서 전화하는 사람 알아요? 누구예요?

아, 저 사람은 유진 씨예요.

활동카드

어휘와 표현	2번	30쪽

가슴이 답답해요.	머리가 복잡해요.	속이 안 좋아요.

얼굴이 부었어요.	눈이 부었어요.	잠이 안 와요.

얼굴에 뭐가 났어요.	머리가 아파요.	목이 아파요.

콧물이 나요.	기침을 해요.	열이 나요.

활동카드

세종식당 메뉴		
<식사>		
	칼국수	4,500원
	김치찌개	5,000원
	된장찌개	5,000원
	순두부찌개	5,500원
	갈비탕	10,000원
<음료>		
	콜라	1,500원
	사이다	1,500원

활동카드

문법 | 2번 | 47쪽

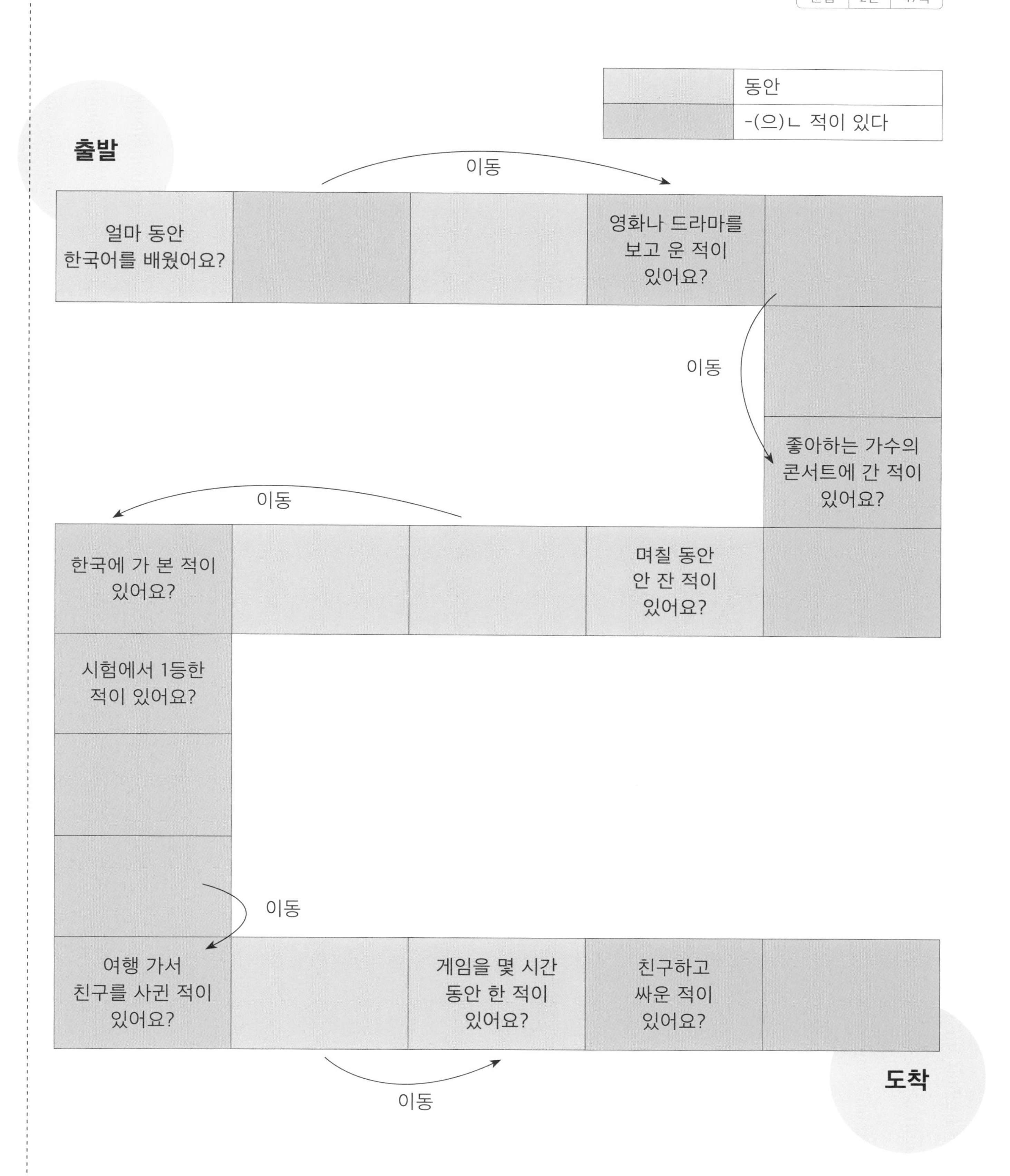

메모

세종한국어 | 더하기 활동 2A

기획	국립국어원	박미영 학예연구사
	국립국어원	조 은 학예연구사
집필	책임 집필	이정희 경희대학교 국제교육원 교수
	공동 집필	이수미 성균관대학교 학부대학 대우교수
		한윤정 경희대학교 K-컬처·스토리콘텐츠연구소 연구교수
		신범숙 서울대학교 언어교육원 대우전임강사
		민유미 서울대학교 언어교육원 대우전임강사
		윤세윤 경희대학교 국제교육원 객원교수
	집필 보조	김연희 경희대학교 국어국문학과 박사수료
		홍세화 경희대학교 국어국문학과 박사과정
		정성호 경희대학교 국어국문학과 박사수료
		서유리 경희대학교 국어국문학과 박사과정

발행 국립국어원
주소: (07511) 서울특별시 강서구 금낭화로 154
전화: +82(0)2-2669-9775
전송: +82(0)2-2669-9727
누리집: www.korean.go.kr

초판 1쇄 발행 2022년 9월 1일
초판 2쇄 발행 2025년 2월 21일

편집 • 제작 공앤박 주식회사
주소: (05116) 서울특별시 광진구 광나루로56길 85, 프라임센터 3411호
전화: +82(0)2-565-1531
전송: +82(0)2-6499-1801
누리집: www.kongnpark.com / www.BooksOnKorea.com (구매)

총괄	공경용
편집	이유진, 김세훈, 이진덕, 여인영, 김령희, 성수정, 최은정, 함소연
영문 편집	Sung A. Jung, Paulina Zolta, Kassandra Lefrancois-Brossard
디자인	오진경, 서은아, 이종우, 이승희
삽화	강승희, 곽명주, 박가을, 이재영, 정원교
관리·제작	공일석, 최진호
IT 자료	손대철
마케팅	윤성호

ISBN 978-89-97134-52-6 (14710)
ISBN 978-89-97134-21-2 (세트)